Escritos de *São Francisco*

Dados Internacionais de Catalogação na Publicação (CIP)
(Câmara Brasileira do Livro, SP, Brasil)

Escritos de São Francisco / organização e tradução
de Celso Márcio Teixeira. 4. ed. – Petrópolis, RJ :
Vozes ; Brasília, DF : CFFB, 2013.

Bibliografia.

18ª reimpressão, 2025.

ISBN 978-85-326-3835-9

1. Espiritualidade 2. Franciscanos 3. Francisco
de Assis, Santo, 1181 ou 2-1226 4. Vida espiritual
I. Teixeira, Celso Márcio.

09-01513 CDD-282.092

Índices para catálogo sistemático:
1. Escritos : Santos : Igreja Católica :
Biografia e obra 282.092
2. Santos : Igreja Católica : Escritos :
Biografia e obra 282.092

Escritos de
São Francisco

Organização e tradução de
Celso Márcio Teixeira

coedição

Conferência da Família
Franciscana do Brasil

Petrópolis

Fontes Franciscanas e Clarianas
CFFB – Conferência da Família Franciscana do Brasil
SGAN 905 – Conjunto "B"
70790-050 Brasília, DF
ffb@ffb.org.br

Em coedição com:
2009, Editora Vozes Ltda.
Rua Frei Luís, 100
25689-900 Petrópolis, RJ
www.vozes.com.br
Brasil

Editoração: Clauzemir Makximovitz
Diagramação: Victor Mauricio Bello
Ilustração de capa: Frei Pedro da Silva Pinheiro, OFM
Arte-finalização: Juliana Teresa Hannickel

ISBN 978-85-326-3835-9

Este livro foi composto e impresso pela Editora Vozes Ltda.

Sumário

Siglas, 7
Apresentação, 9
Introdução, 13
Cronologia da vida de São Francisco, 23
Textos, 31
Admoestações, *31*
Cântico do Irmão Sol ou Louvores das criaturas, *46*
Bilhete a Frei Leão, *47*
Carta a Santo Antônio, *49*
Carta aos clérigos (Primeira recensão), *49*
Carta aos clérigos (Segunda recensão), *51*
Carta aos custódios (Primeira recensão), *52*
Carta aos custódios (Segunda recensão), *54*
Carta aos fiéis (Primeira recensão), *55*
Carta aos fiéis (Segunda recensão), *59*
Carta a Frei Leão, *68*
Carta a um ministro, *69*
Carta enviada a toda a Ordem, *71*
Carta aos governantes dos povos, *78*
Exortação ao louvor de Deus, *79*

Paráfrase ao Pai-nosso, *80*
Forma de vida para Santa Clara, *82*
Fragmentos da Regra não Bulada, *83*
Louvores a serem ditos a todas
as horas [canônicas], *99*
Ofício da Paixão do Senhor, *101*
Oração diante do Crucifixo, *125*
Regra Bulada, *125*
Regra não Bulada, *137*
Regra para os eremitérios, *170*
Saudação à Bem-aventurada Virgem Maria, *172*
Saudação às virtudes, *172*
Testamento, *173*
Última vontade escrita para Santa Clara, *178*
Palavras de exortação: "Ouvi, pobrezinhas", *179*
Notícias de outros textos, *179*
Índice remissivo, 185
Notas, 221

Siglas

Ad – Admoestações
Ant – Carta a Sto. Antônio
BnB – Bênção a Frei Bernardo
BnL – Bênção a Frei Leão
ClJ – Carta a Santa Clara sobre o Jejum
1Cl – Carta aos Clérigos (Primeira recensão)
2Cl – Carta aos Clérigos (Segunda recensão)
Cnt – Cântico do Irmão Sol
1Ct – Carta aos Custódios (Primeira recensão)
2Ct – Carta aos Custódios (Segunda recensão)
ExL – Exortação ao Louvor de Deus
1Fi – Carta aos Fiéis (Primeira recensão)
2Fi – Carta aos Fiéis (Segunda recensão)
1Fr – Fragmentos da Regra não Bulada (Códice de Worcerster)
2Fr – Fragmento da Regra não Bulada (Hugo de Digne)
3Fr – Fragmentos da Regra não Bulada (Tomás de Celano)
FV – Forma de Vida para Santa Clara

Gv – Carta aos Governantes
LD – Louvores ao Deus Altíssimo
Le – Carta a Frei Leão
LH – Louvor de Deus nas horas canônicas
Mn – Carta a um Ministro
OC – Oração diante do Crucifixo
OP – Ofício da Paixão
Ord – Carta a toda a Ordem
PA – Perfeita Alegria
PE – Palavras de Exortação: "Ouvi, pobrezinhas"
PN – Paráfrase ao Pai-nosso
RB – Regra Bulada
RE – Regra para os Eremitérios
RnB – Regra não Bulada;
SM – Saudação à Bem-aventurada Virgem Maria
SV – Saudação às Virtudes
Test – Testamento
TestS – Testamento de Sena
UV – Última Vontade a Santa Clara

Apresentação

Em data relativamente recente, em 2004, a Família Franciscana do Brasil lançou, em coedição com a Editora Vozes, *Fontes Franciscanas e Clarianas*, um compêndio dos Escritos de São Francisco e Santa Clara, das hagiografias de ambos, de compilações ou florilégios, de crônicas e outros documentos referentes a São Francisco e à Ordem Franciscana. O intuito dessa publicação era colocar ao alcance dos leitores de língua portuguesa o mais amplo acervo possível de documentação acerca destes dois grandes mestres de espiritualidade. Desta maneira, muitas das fontes que eram reservadas, por assim dizer, somente a pesquisadores – porque escritas originalmente em latim – se tornaram acessíveis a todos os que de alguma forma se sentem atraídos e manifestam simpatia por eles.

Há, porém, os que não sentem necessidade de um compêndio tão amplo, preferindo um contato imediato com aquilo que os próprios santos escreveram, não se preocupando tanto com o que outros escreveram sobre eles, ainda que estes escritores tenham sido contemporâneos e até companheiros próximos deles. Há, pelo contrário, os que, investigando não a produção literária dos supracitados santos, mas o contexto cultural e ideológico da época em que foram escritos outros documentos, gostariam de aproximar-se especificamente de uma das hagiografias mais antigas ou de uma compilação ou de qualquer outro texto contido no compêndio das *Fontes Franciscanas e Clarianas*.

Pensando naqueles que buscam textos específicos no conjunto das Fontes é que planejamos organizar publicações menores, cuidando, porém, de manter a mesma tradução, as mesmas notas e – à medida do possível – a mesma numeração dos versículos.

A presente obra, *Escritos de São Francisco de Assis*, é a primeira resposta a este anseio. Nela, o leitor encontrará o que Francisco de Assis nos deixou por escrito de sua experiência, de seu modo de compreender e viver o Evangelho, de sua maneira apaixonada de relacionar-se com Cristo. Entrará em contato com o modo de Francisco rezar, de exortar, de animar seus irmãos e, portanto, seu próprio modo de comportar-se. Poderá colher nas entrelinhas a vontade de Francisco, seus anseios, seus mais elevados ideais. E perceberá também as fraquezas e os riscos aos quais Francisco e a primeira fraternidade estavam expostos. Enfim, será possível ao leitor vislumbrar o perfil espiritual de Francisco que ele propunha como perfil espiritual da Ordem franciscana.

Resumindo tudo isto num voto, que o leitor possa encontrar nestes escritos a maneira própria de Francisco seguir a Cristo, o Filho de Deus encarnado, obra suprema de Deus, que livremente quis viver pobre e morrer crucificado pela humanidade!

Frei Celso Márcio Teixeira, OFM

Introdução

Desde muito cedo, houve, por parte dos frades menores, grande interesse em recolher tudo aquilo que São Francisco escreveu ou mandou escrever. Dentre as centenas de manuscritos examinados por K. Esser para a mais recente edição crítica dos Escritos de São Francisco, vários provêm do séc. XIII, sendo o mais importante o cód. 338 da Biblioteca Comunal de Assis, situado na metade do século. A facilidade de se fazer uma coletânea do gênero já naquele tempo deve-se ao fato de o próprio Francisco ter incentivado os destinatários de seus escritos a fazerem cópias, a guardá-los na memória e a colocá-los em prática. Assim, grande é o número dos manuscritos que trazem coletâneas, umas mais, outras menos completas, dos escritos do santo. Pode-se dizer que, ao longo dos séculos, houve uma verdadeira proliferação destas coletâneas.

A primeira tentativa de recolher em uma única coleção todos os escritos de São Francisco coube ao franciscano Lucas Wadding que, em 1623, a publicou sob o título de *Opuscula*. Esta edição saiu toda em língua latina. O editor traduzira para o latim até os escritos em língua italiana, como o Cântico do Irmão Sol. Lucas Wadding teve o mérito de recolher muito material. Mas, em contrapartida, não separou a matéria espúria e dúbia, que ele transmitiu como escritos autênticos do santo. Não obstante, foi uma obra de grande utilidade por quase três séculos, a saber, de 1623 até os inícios do séc. XX.

a) Edições críticas dos Escritos

Em um mundo cada vez mais marcado pelos critérios científicos, uma edição crítica tornava-se uma necessidade. A organização de uma coletânea apresentava um risco: o de atribuir a São Francisco textos que não eram de sua autoria. E como a coleção de Wadding trazia muitos escritos espúrios e dúbios, também no âmbito dos estudos de Franciscanismo sentia-se a urgência de uma edição crítica. Deste modo, saíram a lume quase que simultaneamente, em 1904, as duas primeiras edições críticas, a de Leonhard Lemmens, a cargo dos Padres do Colégio São Boaventura de Quaracchi, e a de Heinrich Boehmer, em Tübingen (Alemanha).

As edições críticas procuravam primeiramente eliminar do conjunto dos escritos aquilo que, de fato, não era de São Francisco, para apresentar somente os textos autêntica e comprovadamente de sua autoria. Em segundo lugar, procuravam reconstituir os textos originais, porque, de um copista para outro, podia acontecer que o texto sofresse alguma modificação, como erros de leitura e de escrita, substituição de alguma palavra que parecia obscura ou não ter sentido num texto, inversão na colocação das palavras, etc. As duas citadas edições críticas serviram de base para muitos estudos, pesquisas e biografias sobre a vida do santo de Assis.

Em 1976, após vários anos de estudo e exame da mais completa coleção de manuscritos, saía a lume a terceira e mais recente edição crítica de K. Esser (Quaracchi, Grottaferrata). Interessante observar que, enquanto estava sendo impressa a obra de K. Esser, o franciscano Giovanni Boccali encontrava em duas bibliotecas um opúsculo de São Francisco por muito tempo procurado: o canto de exortação *Ouvi, pobrezinhas*, de que se tem notícia na *Compilação de Assis* (n. 85).

b) Valor dos Escritos no conjunto das Fontes Franciscanas

Os Escritos de São Francisco constituem a principal fonte franciscana. Enquanto nas diversas biografias nos é apresentado um Francisco fragmentado sob enfoques diversificados – enfoques que divergem entre si pelo contexto diferenciado do autor, pela intenção e finalidade que cada escritor se propõe, com o risco até de alguma distorção –, nos

Escritos é o próprio Francisco que se nos apresenta pessoalmente, sem intermediários e sem filtro ótico, de maneira unitária, com suas palavras, ideias, propósitos, sentimentos, vontades, exortações, religiosidade, orações, ideais e desejos. Esta fonte é que poderá conferir valor e unidade aos diversos enfoques diversificados e fragmentados transmitidos pelas biografias e corrigir as possíveis distorções. Isto é, se quisermos encontrar São Francisco de maneira não fragmentária, devemos procurá-lo nos seus escritos. A partir daí é que se pode compreender e integrar (ou rejeitar) as diversas facetas apresentadas pelos escritos biográficos.

c) A questão da autenticidade

Se no confronto com as próprias biografias se tem a preocupação de buscar o Francisco não fragmentado, muito mais ainda quando se trata de escritos não autênticos de Francisco. Por conseguinte, a edição crítica procura separar os textos autênticos dos não autênticos. Para isto, foram feitos muitos estudos comparativos e pesquisas históricas com o intuito de estabelecer a autoria dos diversos opúsculos. E o editor da obra crítica deve ter a coragem de eliminar do elenco dos escritos autênticos tudo o que comprovadamente se verificou como não autêntico ou espúrio.

Mas, mesmo nos considerados textos autênticos, a questão da autenticidade permanece problemática para alguns. Sabe-se, por exemplo, que Francisco na maioria de seus escritos dispôs de secretários (ele ditava seus "escritos" em língua vulgar e os secretários os escreviam em latim); sabe-se igualmente que em alguns escritos São Francisco contou com o auxílio de colaboradores (por exemplo, na formulação da Regra Bulada e da Regra não Bulada); constata-se que um escrito diverge de outro no estilo, isto é, enquanto um se caracteriza por um estilo simples, outro, como o da *Carta à Ordem*, é apresentado num latim gramaticalmente correto e em estilo elegante. Daí, a colocação do problema: Até que ponto um determinado texto é autêntico de Francisco? Até que ponto entra a ótica do secretário ou dos colaboradores na autenticidade ou não autenticidade de um texto?

A nosso ver, embora os textos ditados por Francisco tenham recebido uma forma gramatical e estilística do secretário, este fato não chegava a atingir o conteúdo, não comprometia a autenticidade dos textos, pois Francisco, ao lê-los, os reconhecia como seus, se reconhecia neles e, por isso, os assinava, os assumia em primeira pessoa, como os havia ditado em primeira pessoa.

K. Esser, ao confrontar-se com este problema, estabelece uma sutil distinção entre autenticidade e originalidade. Esta distinção se torna claramente perceptível no *Ofício da Paixão*, uma composição que não prima pela originalidade, pois feita de textos dos

Salmos bíblicos, mas cuja autenticidade não pode ser colocada em dúvida: foi Francisco quem fez a nova disposição dos versículos dos diversos salmos.

A distinção empregada por K. Esser veio esclarecer certas dúvidas quanto à autenticidade e, em certo sentido, dar mais segurança aos textos autênticos de São Francisco.

d) Notícias de outros textos

Na edição crítica de K. Esser, depois dos *Opuscula scripta*, seguem alguns documentos que o editor apresenta sob o título de *Opuscula dictata*. Embora este título não tenha sido contestado, julgamo-lo pouco apropriado, pois ditados foram quase todos os escritos de São Francisco. Por conseguinte, preferimos utilizar nesta nossa edição o título: *Notícias de outros textos*. Os chamados *Opuscula dictata* não são textos completos. Realmente, eles nada mais são do que uma frase ou duas (Testamento de Sena), um conteúdo de um escrito de São Francisco (Carta sobre o jejum, escrita para Santa Clara; Carta a Jacoba), uma notícia sobre algo que Francisco disse ou escreveu (Bênção enviada por escrito a Santa Clara, Carta aos irmãos da França), algum elemento que nos é transmitido por uma biografia (Bênção a Frei Bernardo) ou por tradição oral que em um dado momento alguém resolveu colocar por escrito (Verdadeira e perfeita alegria). Portanto, visto que não se tem conhecimento do texto completo, mas apenas notícias, preferimos compreender estes documentos sob o título de *Notícias de outros textos*.

e) Data de composição

Uma datação completa dos diversos escritos de São Francisco é praticamente impossível. Enquanto se conhece com documentação escrita a data de composição de alguns textos, de outros não se sabe sequer em que período da vida de Francisco eles tenham surgido. Através de comparações com textos datados é que, às vezes, se chega a alguma aproximação cronológica, a uma provável datação. Mas nunca se pode esperar uma cronologia precisa. Baseados em *Fontes Franciscani*, p. 19-22, damos a seguir a data precisa de alguns e as prováveis de outros:

Admoestações: impossível estabelecer data.
Cântico do Irmão Sol: a data provável seria entre o inverno (europeu) de 1224 e o verão de 1225.
Bilhete a Frei Leão (*Louvores ao Deus Altíssimo com a Bênção a Frei Leão*): segunda metade de setembro de 1224.
Carta a Santo Antônio: final de 1223 ou início de 1224.
Carta aos clérigos (Primeira recensão): possivelmente antes de Pentecostes de 1219.
Carta aos clérigos (Segunda recensão): provavelmente primavera-verão (europeu) de 1220, depois da volta de Francisco do Oriente, devido a certas afinidades com a *Sane cum olim* (de 22 de setembro de 1219) de Honório III.

Carta aos custódios (Primeira recensão): provavelmente 1219/1220, devido a relação com a *Sane cum olim*. Tem uma ressonância da experiência de Francisco no Oriente.

Carta aos custódios (Segunda recensão): pela mesma razão, seria lógico datá-la em 1220.

Carta aos fiéis (Primeira recensão): antes de 1221, data provável da "fundação" da "Ordem da Penitência".

Carta aos fiéis (Segunda recensão): últimos anos da vida de São Francisco (1225/1226?).

Carta a Frei Leão: últimos anos da vida de Francisco.

Carta a um ministro: antes da aprovação da Regra Bulada (29 de novembro de 1223).

Carta a toda a Ordem: após fevereiro-março de 1220, devido a relação com a *Sane cum olim*.

Carta aos governantes dos povos: pouco depois da viagem de Francisco ao Oriente.

Exortação ao louvor de Deus: datação impossível; talvez entre 1213-1223.

Paráfrase ao Pai-nosso: datação impossível.

Forma de vida para Santa Clara: 1212/1213.

Fragmentos de outra regra não bulada: antes da aprovação da Regra Bulada (1223).

Louvores a serem ditos a todas as horas canônicas: provavelmente nos últimos anos da vida de Francisco.

Ofício da Paixão do Senhor: devido ao uso do Saltério Romano e do Galicano, pode-se pensar num período entre a Regra não Bulada e a Bulada.

Oração diante do Crucifixo: data presumida de 1205/1206.

Regra Bulada: 29 de novembro de 1223.

Regra não Bulada: texto reconhecido no Capítulo geral de 1221.

Regra para os eremitérios: entre os anos 1217/1218 e 1221.

Saudação à Bem-aventurada Virgem Maria: datação impossível.

Saudação às Virtudes: datação impossível.

Testamento: últimos dias de vida de Francisco.

Última vontade escrita para Santa Clara: pouco antes da morte de São Francisco.

Palavras de exortação: Ouvi, pobrezinhas: entre o inverno (europeu) de 1224 e o verão de 1225.

Bênção a Frei Bernardo: dias que precederam a morte de São Francisco.

Bênção enviada por escrito a Santa Clara: pouco antes da morte de São Francisco.

Carta escrita aos cidadãos de Bolonha: algum tempo antes do Natal de 1222.

Carta sobre o jejum, escrita para Santa Clara: por volta de 1220/1221.

Carta escrita à senhora Jacoba: entre 28 de setembro e 1º de outubro de 1226.

Carta enviada aos irmãos da França: datação impossível.

Testamento de Sena: abril-maio de 1226.

A verdadeira e perfeita alegria: datação impossível.

f) Ordem ou sequência dos escritos

Devido à impossibilidade de se estabelecer uma precisa ordem cronológica dos Escritos de São Francisco, algumas traduções os apresentam numa sequência que obedece a uma divisão temática. A divisão temática dos Escritos, porém, permanece ainda uma questão discutível. Por exemplo, a divisão que agrupa as Regras e as Admoestações (incluindo nestas últimas os Testamentos), no intuito de dar uma unidade a estes escritos, acaba por misturar gêneros literários completamente diferentes. Embora as Regras contenham muitas admoestações, elas pertencem ao gênero literário dos textos legislativos ao passo que as Admoestações, não sendo textos legislativos, pertencem a outro gênero literário. Assim, as tentativas de divisão temática têm-se mostrado não totalmente convincentes nem satisfatórias.

Por esta razão, nossa edição procura seguir a edição latina de *Fontes Franciscani*, que é atualmente o ponto de referência para todos os estudiosos.

Cronologia da vida de São Francisco*

1181-1182 – Nasce em Assis o filho de Pedro Bernardone e de Dona Joana (provável nome da mãe, conhecida pelo cognome Pica). No batismo recebeu da mãe o nome de João. Ao regressar de uma viagem, o pai deu-lhe o nome de Francisco.

1198 – Devido a um conflito entre a nobreza (*maiores*) e a burguesia (*minores*), as famílias nobres de Assis se veem forçadas a se refugiar em Perúgia.

1202 – Guerra entre os nobres de Assis aliados com Perúgia e os burgueses de Assis. A batalha tem lugar em Collestrada. Francisco participa da guerra. Assis é vencida, e Francisco é feito prisioneiro. Após um ano de prisão, acometido por uma doença, Francisco é resgatado pelo pai.

1204 – Francisco passa por longa doença.

Fim de 1204 ou início de 1205 – Francisco parte para a guerra na Apúlia. Em Espoleto, tem uma visão e volta para Assis. É o início de sua conversão.

---

* Para esta cronologia tomamos por base a obra *Fontes franciscanas e clarianas*. 2. ed. Petrópolis/Brasília: Vozes/FFB, 2008.

1205 – Entre setembro e dezembro, mensagem do crucifixo de São Damião.

1206 – Entre janeiro e fevereiro, Francisco despoja-se diante do Bispo Guido II (1204 a 30 de junho de 1228). Entre março e junho, em Gubbio, presta seus serviços aos leprosos. Em julho, volta para Assis, veste um hábito de eremita e inicia o trabalho de restauração da igrejinha de São Damião. Pede pedras para essa igreja e profetiza sobre as Damas Pobres. Até janeiro ou fevereiro de 1208, trabalha na restauração de três igrejinhas: a de São Damião, a de São Pedro e a da Porciúncula.

1208 – 24 de fevereiro: festa de São Matias. Francisco ouve na Porciúncula o Evangelho do envio apostólico. Troca as vestes de eremita por um hábito rude e torna-se pregador itinerante. É o início da vida propriamente franciscana.

No dia 16 de abril, recebe como companheiros Frei Bernardo de Quintavalle e Frei Pedro Cattani e, no dia 23 do mesmo mês, recebe Frei Egídio.

Entre março e junho: A primeira missão. Francisco e Egídio vão à Marca de Ancona e acolhem mais três companheiros, entre os quais Filipe Longo.

Entre setembro de 1208 e março de 1209, a segunda missão. Todos se dirigem a Poggiobustone. Francisco certifica-se do perdão dos pecados. Depois de receber mais um companheiro, envia todos para a terceira missão, dois a dois, pelas quatro direções do mundo. Bernardo e Egídio vão para Florença.

1209 – Ainda no início do ano, todos estão de volta a Porciúncula. Unem-se a eles mais quatro.

Entre março e junho, Francisco escreve uma breve Regra e vai a Roma com os onze companheiros. Obtém a aprovação oral desta primeira Regra. Ao retornarem a Assis, estabelecem-se em Rivotorto, num tugúrio abandonado.

Aos 4 de outubro, Oto IV é coroado imperador em Roma e está em Assis entre dezembro de 1209 e janeiro de 1210. Seu cortejo passa perto de Rivotorto, mas não se sabe se antes ou depois da coroação.

Ainda em fins de 1209 ou início de 1210, os frades deixam Rivotorto e voltam para a Porciúncula. A Porciúncula pertencia aos beneditinos cluniacenses, que a alugaram por um preço simbólico a Francisco. Esta igreja se tornou o berço da Ordem.

1210 – Rufino, primo de Clara, associa-se a Francisco. Possivelmente na quaresma desse ano, Francisco prega a quaresma na catedral de São Rufino. Iniciam-se também os diálogos secretos entre Clara e Francisco.

1211 – Entre junho e setembro, Francisco vai à Dalmácia e retorna.

1213 – No dia 8 de maio, em São Leão, perto de San Marino, o senhor Orlando Cattani, conde de Chiusi, oferece a Francisco o Monte Alverne, perto de Arezzo, para servir aos irmãos como eremitério.

1213 ou 1214/1215 – Francisco dirige-se a Marrocos para pregar aos sarracenos. Chegando à Espanha, adoece gravemente, devendo retornar logo à Itália. Logo que volta, Tomás de Celano é recebido com muitos outros nobres e letrados à Ordem.

1216 – Entre junho e setembro, Francisco obtém do Papa Honório III a indulgência da Porciúncula.

1217 – No dia 5 de maio: Capítulo geral na Porciúncula. A Ordem é estruturada em províncias. Primeira missão além dos Alpes e além-mar. Frei Egídio vai para Túnis, Frei Elias para a Síria, Francisco pretende viajar para a França, mas o Cardeal Hugolino, legado papal na Toscana, dissuade-o da viagem.

1219 – No dia 26 de maio: Capítulo geral. Grandes missões ao exterior: Alemanha, França, Hungria, Espanha, Marrocos. Em junho, Francisco parte de Ancona para o Oriente. Os que vão para a Alemanha, França e Hungria sofrem desconfiança e maus-tratos. Os que vão para Marrocos sofrem o martírio. Motivado por este martírio, Santo Antônio pede admissão na Ordem franciscana.

Entre setembro e dezembro, Francisco chega ao acampamento do Sultão do Egito, Malek-el-Kamel (1218-1238).

1220 – No início do ano, Francisco dirige-se a São João d'Acre (Acco), onde havia uma fortaleza dos cruzados, e daí vai à Terra Santa. Na sua ausência da Itália, nomeara dois vigários que começaram a introduzir novidades na Ordem, instituindo novos dias de jejum e abstinência. A ordem entra em processo de crise.

Entre março e setembro, Francisco retorna à Itália. Pede ao papa que nomeie Hugolino como cardeal protetor da Ordem. Reorganiza a Ordem.

1220 – Francisco nomeia Frei Pedro Cattani como seu vigário.

1221 – Morre Frei Pedro Cattani em março. Em maio: Capítulo geral. Frei Elias é nomeado vigário em lugar de Frei Pedro Cattani. A Regra, adornada com citações do Evangelho por Frei Cesário de Espira, chega à sua plena evolução. No fim do Capítulo, organiza-se nova missão à Alemanha. Dirigida desta vez por um alemão, Frei Cesário de Espira, a missão teve sucesso.

1221 – O Papa Honório III aprova a Regra da Ordem Terceira.

1222 – Na festa da Assunção, Francisco prega em Bolonha, na sede dos estudos jurídicos, visando extinguir inimizades e reformar os pactos de paz. Muitas famílias fizeram pacto de paz.

1223 – Início do ano: Francisco redige a Regra definitiva em Fonte Colombo. A nova redação foi apresentada e discutida no Capítulo geral em junho. Aos 29 de novembro, o Papa Honório III aprova-a com bula. O texto original encontra-se como relíquia no Sacro Convento de Assis.

Na noite de Natal, Francisco celebra em Greccio o nascimento de Jesus Cristo, diante de um presépio.

1224 – Segue uma missão de frades para a Inglaterra. A missão foi bem-sucedida.

No final do mês de julho ou início de agosto, Frei Elias é advertido em sonho ou visão de que Francisco terá apenas mais dois anos de vida.

Entre 15 de agosto e 29 de setembro, Francisco dirige-se ao Alverne com Frei Leão e Frei Rufino a fim de fazer uma quaresma de oração e jejum em honra de São Miguel. Na proximidade de 14 de setembro, festa da Exaltação da Santa Cruz, Francisco tem a visão do Serafim alado e crucificado e recebe os estigmas.

Em outubro ou início de novembro, retorna à Porciúncula, passando por Borgo San Sepolcro, Monte Casale e Città di Castello.

Em dezembro de 1224 ou janeiro-fevereiro de 1225, Francisco faz um giro de pregações pela Úmbria e Marca de Ancona.

1225 – Mês de março: Francisco visita Santa Clara em São Damião. A enfermidade dos olhos piora. Ele fica numa cela ou casa do capelão. Frei Elias insiste em que ele deve fazer um tratamento, e ele consente.

Abril ou maio: Francisco recebe o tratamento, mas de nada adianta. Depois de uma noite de tormentos pela dor e pelos ratos, compõe o Cântico do Irmão Sol.

Junho: acrescenta ao Cântico a estrofe sobre a paz, para a reconciliação entre o bispo e o podestà. Aconselhado por uma carta do Cardeal Hugolino, Francisco deixa São Damião e dirige-se para Rieti, onde havia os melhores médicos dos olhos. Início de julho: Francisco é acolhido em Rieti pelo Cardeal Hugolino e pela corte papal; vai submeter-se a um tratamento com os médicos da corte pontifícia. É conduzido a Fonte Colombo para o tratamento, mas adia, devido à ausência de Frei Elias. Julho ou agosto: cauterização do nervo ótico, estendendo-se da orelha ao supercílio; sem resultado. Setembro: Francisco vai a São Fabiano (La Foresta) para um tratamento com outro médico. Restaura a vinha do sacerdote danificada pelos visitantes. De outubro de 1225 aos primeiros meses de 1226, Francisco está ora em Rieti, ora em Fonte Colombo.

1225 – Os Frades Menores chegam a Praga.

1226 – Abril: Francisco vai a Sena para outro tratamento dos olhos.
Maio ou junho: volta para a Porciúncula, via Cortona.
Julho-agosto: é levado para Bagnara, perto de Nocera.
Fim de agosto ou início de setembro: piora o estado de saúde, e ele é conduzido ao palácio do bispo de Assis.
Sentindo iminente a morte, pede para ser transportado para a Porciúncula. Na planície, abençoa a cidade de Assis.

Nos últimos dias de vida, dita o Testamento.

Na proximidade da morte, pede para ser colocado nu sobre a terra nua. Aceita de empréstimo um hábito do guardião. Lê o Evangelho da Última Ceia e abençoa os irmãos presentes e futuros.

1226 – Dia 3 de outubro, à tarde: Francisco morreu cantando. No dia seguinte, domingo, foi sepultado na igreja de São Jorge.

1227 – Reinaldo de Segni é nomeado cardeal protetor dos Menores.

1228 – 16 de julho: Canonização de São Francisco.

1230 – 25 de maio: transladação dos restos mortais de Francisco para a basílica que estava sendo construída em sua honra.

Textos

Admoestações

[I – O Corpo do Senhor][1]

[1]Diz o Senhor Jesus aos seus discípulos: *Eu sou o caminho, a verdade e a vida; ninguém vai ao Pai a não ser por mim.* [2]*Se me conhecêsseis, certamente conheceríeis também meu Pai; desde agora o conheceis e o vistes.* [3]*Diz-lhe Filipe: Senhor, mostra-nos o Pai, e isto nos basta.* [4]*Diz-lhe Jesus: Há tanto tempo que estou convosco, e não me conhecestes? Filipe, quem me vê, vê também* meu *Pai* (Jo 14,6-9)[2]. [5]O Pai habita na *luz inacessível* (cf. 1Tm 6,16), e *Deus é espírito* (Jo 4,24), *e ninguém jamais viu a Deus* (Jo 1,18). [6]Portanto, ele só pode ser visto em espírito, *porque é o espírito que vivifica; a carne não serve para nada* (Jo 6,64). [7]Mas também o Filho, naquilo que é igual ao Pai, não é visto por ninguém de maneira diferente que o Pai e que o Espírito Santo. [8]Daí, todos os que viram o Senhor Jesus segundo a huma-

nidade e não viram nem creram segundo o espírito e a divindade que ele é o verdadeiro Filho de Deus foram condenados; [9]de igual modo, todos os que veem o sacramento, que é santificado por meio da palavra do Senhor sobre o altar pelas mãos do sacerdote em forma de pão e de vinho, e não veem nem creem segundo o espírito e a divindade que seja verdadeiramente o Corpo e o Sangue de Nosso Senhor Jesus Cristo, foram condenados, sendo testemunha o próprio Altíssimo que diz: [10]*Isto é o meu corpo e* o meu *sangue da nova Aliança [que será derramado por todos]* (Mc 14,22.24); [11]e: *Quem come minha carne e bebe meu sangue tem a vida eterna* (cf. Jo 6,55). [12]Por isso, o espírito do Senhor, que habita em seus fiéis, é que recebe o Santíssimo Corpo e Sangue do Senhor. [13]Todos os outros que não têm do mesmo espírito e ousam recebê-lo *comem e bebem a própria condenação* (cf. 1Cor 11,29).

[14]Portanto, ó filhos dos homens, *até quando estareis com o coração duro*? (Sl 4,3). [15]Por que não reconheceis a verdade e não *credes no Filho de Deus*? (Jo 9,35). [16]Eis que diariamente Ele se humilha (cf. Fl 2,8), como quando veio *do trono real* (Sb 18,15) ao útero[3] da Virgem; [17]diariamente Ele vem a nós em aparência humilde; [18]diariamente Ele *desce do seio do Pai* (cf. Jo 6,38; 1,18) sobre o altar nas mãos do sacerdote. [19]E assim como Ele se manifestou aos san-

tos apóstolos na verdadeira carne, do mesmo modo Ele se manifesta a nós no Pão Sagrado. [20]E assim como eles com a visão do seu corpo só viam a carne dele, mas contemplando-o com olhos espirituais criam que Ele é Deus, [21]do mesmo modo também nós, vendo o pão e o vinho com os olhos do corpo, vejamos e creiamos firmemente que é vivo e verdadeiro o seu Santíssimo Corpo e Sangue. [22]E, desta maneira, o Senhor está sempre com seus fiéis, como Ele mesmo diz: *Eis que estou convosco até o fim dos tempos* (cf. Mt 28,20).

♦

[II – O mal da própria vontade]

[1]Disse o Senhor a Adão: Podes comer de *toda árvore; não comerás, porém, da árvore do bem e do mal* (cf. Gn 2,16.17). [2]Podia comer de toda árvore do paraíso, porque, não indo contra a obediência, não pecava. [3]No entanto, come da árvore da ciência do bem aquele que se apropria de sua vontade e se exalta dos bens que o Senhor diz e opera nele; [4]e assim, por sugestão do demônio e pela transgressão do mandamento, veio a existir o pomo da ciência do mal. [5]Por isso, é necessário que sofra o castigo.

♦

[III – A obediência perfeita]

[1]Diz o Senhor no Evangelho: *quem não renunciar a tudo o que possui não pode ser meu discípulo* (Lc 14,33); [2]e: *quem quiser salvar sua vida, perdê-la-á* (Lc 9,24). [3]Abandona tudo o que possui e perde seu corpo aquele que se oferece totalmente à obediência nas mãos de seu prelado[4]. [4]E aquilo que faz e diz, que saiba não ser contra a vontade dele, na condição de que seja bom o que ele faz, é verdadeira obediência. [5]E se o súdito vê coisas melhores e mais úteis à sua alma do que aquelas que o prelado lhe ordena, sacrifique voluntariamente as suas [opiniões] a Deus; procure, porém, realizar em obras as que são do prelado. [6]Pois, esta é a *obediência caritativa* (cf. 1Pd 1,22), porque satisfaz a Deus e ao próximo.

[7]Se o prelado, porém, ordena algo contra sua alma, conquanto não lhe obedeça, não o abandone. [8]E se por causa disso vier a sofrer perseguição por parte de alguns, ame-os mais ainda por amor de Deus. [9]Pois, quem prefere sofrer perseguição a separar-se de seus irmãos permanece verdadeiramente na perfeita obediência, porque *expõe a sua vida* (cf. Jo 15,13) em favor dos seus irmãos. [10]De fato, muitos são os religiosos que, sob pretexto de ver coisas melhores do que as que seus prelados ordenam, *olham para trás* (cf. Lc 9,62) e voltam *ao vômito* da própria

vontade (cf. Pr 26,11; 2Pd 2,22); [11]estes são homicidas e causam a perdição de muitas almas por causa de seus maus exemplos.

♦

[IV – Que ninguém se aproprie do ofício de prelado]

[1]*Não vim para ser servido, mas para servir* (cf. Mt 20,28), diz o Senhor. [2]Aqueles que foram constituídos acima dos outros se gloriem tanto deste ofício de prelado como se tivessem sido destinados para o ofício de lavar os pés dos irmãos. [3]E se mais se perturbam por causa do ofício de prelado que lhes foi tirado do que por causa do ofício de lavar os pés, tanto mais ajuntam para si bolsas para perigo da alma.

♦

[V–Que ninguém se ensoberbeça, mas se glorie na cruz do Senhor]

[1]Presta atenção, ó homem, à grande excelência em que te colocou o Senhor Deus, porque te criou e te formou à *imagem* do seu dileto Filho segundo o corpo e à sua *semelhança* segundo o espírito (cf. Gn 1,26). [2]E todas as criaturas que há sob o céu, à sua maneira, servem, reconhecem e obedecem ao seu Criador melhor do que tu. [3]E também não foram os demônios que o crucificaram, mas tu, com eles, o crucificaste e ainda o crucificas, deleitando-te em vícios e pecados.

[4]Portanto, a partir de que podes gloriar-te? [5]Pois, se fosses tão sutil e sábio a ponto de teres *toda ciência* (cf. 1Cor 13,2) e saberes interpretar todos *os gêneros de línguas* (cf. 1Cor 12,28) e perscrutares com sutileza a respeito das coisas celestes, em nada disso te poderias gloriar; [6]porque um só demônio conhecia das coisas celestes e agora conhece das terrenas mais do que todos os homens, mesmo que existisse alguém que recebesse do Senhor um conhecimento especial da mais alta sabedoria. [7]Igualmente, se fosses mais belo e rico do que todos e também se operasses maravilhas, de maneira a afugentares os demônios, tudo isto te é contrário, e nada te pertence, e em nada dessas coisas podes gloriar-te; [8]mas nisto podemos *gloriar-nos, em* nossas *fraquezas* (cf. 2Cor 12,5) e em *carregar cada dia* a santa *cruz* de Nosso Senhor Jesus Cristo (Jo 19,17; Lc 9,23; 14,27).

♦

[VI – A imitação de Cristo]

[1]Irmãos todos, prestemos atenção ao *Bom Pastor* que, *para salvar suas ovelhas* (cf. Jo 10,11), suportou a Paixão da cruz. [2]As ovelhas do Senhor seguiram-no *na tribulação e na perseguição,* na vergonha *e na fome* (cf. Rm 8,35; 2Cor 11,27), na enfermidade e na tentação e em outras coisas mais; e, a partir disso, receberam do Senhor a vida eterna. [3]Daí, é grande

vergonha para nós, servos de Deus, que os santos tenham feito as obras, e nós, proclamando-as, queiramos receber a glória e a honra.

♦

[VII – Que a boa operação siga a ciência]

[1]Diz o apóstolo: *A letra mata, o Espírito, porém, vivifica* (2Cor 3,6). [2]São mortos pela letra aqueles que somente desejam conhecer as palavras para serem considerados mais sábios entre os outros e poderem adquirir grandes riquezas para dá-las aos parentes e amigos. [3]São também mortos pela letra aqueles religiosos que não querem seguir o espírito da Divina Escritura, mas apenas desejam conhecer as palavras e interpretá-las aos outros. [4]E são vivificados pelo espírito da divina escritura aqueles que não atribuem a seu eu toda letra que conhecem e desejam conhecer, mas, pela palavra e pelo exemplo, as retribuem ao altíssimo Senhor Deus, de quem é todo o bem.

♦

[VIII – Evitar o pecado da inveja]

[1]Diz o apóstolo: *Ninguém pode dizer Senhor Jesus, a não ser no Espírito Santo* (1Cor 12,3). [2]E também: *Não há quem faça o bem, não há sequer um só* (Rm 3,12; Sl 13,3). [3]Portanto, todo aquele que inveja seu irmão, por causa do bem que o Senhor diz e faz nele,

pertence ao pecado de blasfêmia, porque inveja o próprio Altíssimo (cf. Mt 20,15) que diz e faz todo o bem.

♦

[IX – O AMOR]

[1]Diz o Senhor: *Amai vossos inimigos [fazei o bem àqueles que vos odeiam, e orai por aqueles que vos perseguem e caluniam]* (Mt 5,44). [2]Ama verdadeiramente ao seu inimigo quem não se lamenta por causa da injúria que este lhe faz, [3]mas, por amor de Deus, se consome por causa do pecado de sua [própria] alma[5]. [4]E *mostre*-lhe *por obras* (cf. Tg 2,18) o amor.

♦

[X – O CASTIGO DO CORPO]

[1]Muitos há que, ao pecarem ou receberem injúria, muitas vezes lançam a culpa sobre o inimigo ou sobre o próximo. [2]Mas não é assim, porque cada um tem em seu poder o inimigo, a saber, o corpo, por meio do qual peca. [3]Por isso, *feliz aquele servo* (Mt 24,46) que sempre mantiver preso em seu poder tal inimigo [que lhe foi] entregue e sabiamente se proteger dele; [4]porque, ao fazer isto, nenhum outro inimigo, visível ou invisível, lhe poderá fazer mal.

♦

[XI – Ninguém se corrompa pelo mal do outro]

[1]Ao servo de Deus nada deve desagradar, a não ser o pecado. [2]E, se alguma pessoa pecar, seja qual for o modo, e por causa disto e não por caridade o servo de Deus se perturbar ou se irar, *entesoura para si* a culpa (cf. Rm 2,5). [3]Vive retamente sem nada de próprio aquele servo de Deus que não se ira nem se perturba por qualquer coisa. [4]E bem-aventurado quem nada retém para si, devolvendo *a César o que é de César e a Deus o que é de Deus* (Mt 22,21).

♦

[XII – Conhecer o espírito do Senhor]

[1]Assim se pode conhecer se o servo de Deus tem o espírito do Senhor: [2]se seu eu[6] não se exaltar, quando Deus realizar por meio dele algum bem – [3]porque o eu é sempre contrário a todo bem –, mas antes se considerar o mais desprezível e se avaliar como menor do que todos os outros homens.

♦

[XIII – A paciência]

[1]*Bem-aventurados os pacíficos, porque serão chamados filhos de Deus* (Mt 5,9). [2]O servo de Deus não pode saber quanta paciência e humildade tem em si, enquanto está satisfeito consigo [mesmo]. [3]Mas, quando

chegar o tempo em que os que deveriam satisfazê-lo lhe fazem o contrário, quanta paciência e humildade tiver nesse momento, tanta tem e não mais.

♦

[XIV – A pobreza de espírito]

[1]*Bem-aventurados os pobres de espírito, porque deles é o Reino dos Céus* (Mt 5,3). [2]Muitos há que, insistindo em orações e serviços, fazem muitas abstinências e macerações em seus corpos, [3]mas, por causa de uma única palavra que lhes parece ser uma injúria a seu próprio eu ou por causa de alguma coisa que se lhes tire, *sempre se escandalizam* (cf. Mt 13,21) e se perturbam. [4]Estes não são pobres de espírito, porque quem é verdadeiramente pobre de espírito se odeia a si mesmo e ama a quem lhe *bate na face* (cf. Mt 5,39).

♦

[XV – A paz]

[1]*Bem-aventurados os pacíficos, porque serão chamados filhos de Deus* (Mt 5,9). [2]São verdadeiramente pacíficos aqueles que, por tudo o que sofrem neste mundo, conservam a paz na alma e no corpo por amor de Nosso Senhor Jesus Cristo.

♦

[XVI – A pureza de coração]

[1]*Bem-aventurados os puros de coração, porque eles verão a Deus* (Mt 5,8). [2]São verdadeiramente puros de coração os que desprezam as coisas terrenas, buscam as celestes e nunca desistem de adorar e de procurar o Deus vivo e verdadeiro com o coração e a mente puros.

♦

[XVII – O humilde servo de Deus]

[1]*Bem-aventurado o servo* (Mt 24,46) que não mais se exalta do bem que o Senhor diz e opera através dele do que [pelo bem] que diz e opera por meio de outro. [2]Peca mais o homem quando quer receber de seu próximo do que quando não quer dar de si ao Senhor Deus.

♦

[XVIII – A compaixão do próximo]

[1]Bem-aventurado o homem que, na medida de sua [própria] fragilidade, suporta seu próximo naquilo que gostaria de ser suportado por ele, se estivesse em semelhante circunstância. [2]Bem-aventurado o servo que atribui todos *os bens ao Senhor Deus* (cf. Tb 13,12), porque quem retiver algo para si *esconde* em si *o dinheiro do Senhor, seu* Deus (cf. Mt 25,18), e *aquilo que julgava ter* lhe *será tirado* (Lc 18,8).

♦

[XIX – O HUMILDE SERVO DE DEUS]

[1]Bem-aventurado o servo que não se considera melhor quando é engrandecido e exaltado pelos homens do que quando é considerado insignificante, simples e desprezado, [2]porque, quanto é o homem diante de Deus, tanto é e não mais. [3]Ai daquele religioso que é colocado no alto pelos outros e não quer descer por sua própria vontade. [4]E *bem-aventurado o servo* (Mt 24,46) que não é colocado no alto por sua própria vontade e [que] sempre deseja estar sob os pés dos outros.

♦

[XX – O BOM RELIGIOSO E O RELIGIOSO FRÍVOLO]

[1]Bem-aventurado o religioso que não tem prazer e alegria a não ser nas palavras e obras do Senhor [2]e com estas leva os homens, com *satisfação e alegria*, ao amor de Deus (cf. Sl 50,10). [3]Ai do religioso que se deleita em palavras ociosas e fúteis e com estas leva os homens ao riso.

♦

[XXI – O RELIGIOSO FRÍVOLO E LOQUAZ]

[1]Bem-aventurado o servo que, quando fala, não manifesta todas as suas coisas em vista de recompensa e não é *rápido para falar* (cf. Pr 29,20; Tg 1,19), mas sabiamente vê antes o que deve falar e responder. [2]Ai

do religioso que não retém *em seu coração* (Lc 2,19.51) os bens que o Senhor lhe revela e não os mostra aos outros através do agir, mas, em vista de recompensa, prefere mostrá-los por palavras. [3]Este recebeu *sua recompensa* (cf. Mt 6,2.16), e os ouvintes colhem pouco fruto.

♦

[XXII – A CORREÇÃO]

[1]Bem-aventurado o servo que suporta correção, acusação e repreensão da parte de outro tão pacientemente como de si mesmo. [2]Bem-aventurado o servo que, repreendido, benignamente aquiesce, com modéstia se submete, humildemente se confessa e de boa vontade faz reparação. [3]Bem-aventurado o servo que não é rápido para se escusar e humildemente suporta vergonha e repreensão por causa de pecado, embora não tenha cometido culpa.

♦

[XXIII – A HUMILDADE]

[1]Bem-aventurado o servo que se encontra tão humilde entre os seus súditos como se estivesse entre seus senhores. [2]Bem-aventurado o servo que sempre permanece sob a vara da correção. [3]*Servo fiel e prudente* (cf. Mt 24,45) é aquele que, em todas suas ofensas, não tarda em punir-se interiormente pela

contrição e exteriormente pela confissão e pela reparação da obra.

♦

[XXIV – O verdadeiro amor]

[1]Bem-aventurado o servo que tanto ama seu irmão quando [este] está doente e não pode satisfazê-lo, como quando está com saúde e pode satisfazê-lo.

♦

[XXV – O mesmo tema]

[1]Bem-aventurado o servo que tanto ama e respeita seu irmão quando [este] estiver longe dele como quando estiver com ele; e não disser por trás dele aquilo que, com caridade, não pode dizer diante dele.

♦

[XXVI – Que os servos de Deus honrem os clérigos]

[1]Bem-aventurado o servo que põe fé nos clérigos que vivem retamente segundo a forma da Igreja Romana. [2]E ai daqueles que os desprezam; conquanto sejam pecadores, no entanto, ninguém deve julgá-los, porque Deus reserva unicamente para si o direito de julgá-los. [3]Pois, quanto maior for o ministério que eles têm do Santíssimo Corpo e Sangue de Nosso Senhor Jesus Cristo, que eles recebem e somente eles ministram aos outros, [4]os que pecam contra eles

têm tanto mais pecado do que se pecassem contra todos os outros homens deste mundo.

♦

[XXVII – A virtude que afugenta o vício]

[1]Onde há *caridade* e sabedoria, aí não há nem *temor* (cf. 1Jo 4,18) nem ignorância. [2]Onde há paciência e humildade, aí não há nem ira nem perturbação. [3]Onde há pobreza com alegria, aí não há nem ganância nem avareza. [4]Onde há quietude e meditação, aí não há nem preocupação nem divagação. [5]Onde há temor do Senhor para *guardar seus átrios* (cf. Lc 11,21), aí o inimigo não tem lugar para entrar. [6]Onde há misericórdia e discernimento, aí não há nem superfluidade nem rigidez.

♦

[XXVIII – Esconder o bem para que não se perca]

[1]Bem-aventurado o servo que *entesoura no céu* (cf. Mt 6,20) os bens que o Senhor lhe mostra e não deseja manifestá-los aos homens em vista de recompensa, [2]porque o próprio Altíssimo manifestará sua obras a quem lhe aprouver. [3]Bem-aventurado o servo que conserva os segredos do Senhor *em seu coração* (cf. Lc 2,19.51).

Cântico do Irmão Sol ou Louvores das criaturas

[1]Altíssimo, onipotente, bom Senhor, teus são o louvor, *a glória e a honra e* toda *bênção* (cf. Ap 4,9.11).

[2]Somente a ti, ó Altíssimo, eles convêm, e homem algum é digno de mencionar-te.

[3]Louvado sejas, meu *Senhor*, com todas *as tuas criaturas* (cf. Tb 8,7), especialmente o senhor Irmão Sol, o qual é dia, e por ele nos iluminas.

[4]E ele é belo e radiante com grande esplendor, de ti, Altíssimo, traz o significado.

[5]*Louvado* sejas, meu Senhor, *pela* irmã *lua e pelas estrelas* (cf. Sl 148,3), no céu as formaste claras e preciosas e belas.

[6]Louvado sejas, meu Senhor, pelo irmão vento, e pelo ar e pelas nuvens e pelo sereno e por todo tempo, pelo qual às tuas criaturas dás sustento.

[7]*Louvado* sejas, meu Senhor, *pela* irmã *água* (cf. Sl 148,4.5), que é muito útil e humilde e preciosa e casta.

[8]*Louvado* sejas, meu Senhor, pelo irmão *fogo* (cf. Dn 3,66), pelo qual *iluminas a noite* (cf. Sl 77,14), e ele é belo e agradável e robusto e forte.

[9]*Louvado* sejas, meu Senhor, *pela* irmã nossa, a mãe *terra* (cf. Dn 3,74), que nos sustenta e governa e produz diversos *frutos* com coloridas flores e *ervas* (cf. Sl 103,13.14).

[10]Louvado sejas, meu Senhor, por aqueles *que perdoam* (cf. Mt 6,12) pelo teu amor, e suportam enfermidade e tribulação.

[11]Bem-aventurados aqueles que as suportarem em paz, porque por ti, Altíssimo, serão coroados.

[12]Louvado sejas, meu Senhor, pela irmã nossa, a morte corporal, da qual nenhum homem vivente pode escapar.

[13]Ai daqueles que morrerem em pecado mortal: bem-aventurados os que ela encontrar na tua santíssima vontade, porque *a morte segunda* (cf. Ap 2,11; 20,6) não lhes fará mal.

[14]*Louvai* e *bendizei* ao meu *Senhor* (cf. Dn 3,85), e rendei-lhe graças e servi-o com grande humildade.

Bilhete a Frei Leão

Louvores a Deus Altíssimo e Bênção

A – Louvores a Deus Altíssimo

[1]*Vós sois* santo, Senhor *Deus* único, *que fazeis maravilhas* (Sl 76,15).

[2]Vós sois forte, *Vós sois grande* (cf. Sl 85,10), Vós sois altíssimo, Vós sois o rei onipotente, Vós, *ó Pai santo* (Jo 17,11), [sois] o rei *do céu e da terra* (cf. Mt 11,25).

[3]Vós sois trino e uno, Senhor *Deus dos deuses* (cf. Sl 135,2), Vós sois o bem, todo o bem, o sumo bem, Senhor *Deus vivo e verdadeiro* (cf. 1Ts 1,9).

[4]Vós sois amor, caridade; Vós sois sabedoria, Vós sois humildade, *Vós sois paciência* (Sl 70,5), Vós sois beleza, Vós sois mansidão, Vós sois segurança, Vós sois quietude, Vós sois regozijo, Vós sois nossa esperança e alegria, Vós sois justiça, Vós sois temperança, Vós sois toda nossa riqueza até à saciedade.

[5]Vós sois beleza, Vós sois mansidão, *Vós sois protetor* (Sl 30,5), Vós sois guarda e defensor nosso; *Vós sois fortaleza* (cf. Sl 42,2), Vós sois refrigério.

[6]Vós sois nossa esperança, Vós sois nossa fé, Vós sois nossa caridade, Vós sois toda a nossa doçura, Vós sois nossa vida eterna: grande e admirável Senhor, Deus onipotente, misericordioso Salvador.

B – Bênção

[1]*O Senhor te abençoe e te guarde; te mostre a sua face e tenha misericórdia de ti.* [2]*Volva para ti o seu olhar e te dê a paz* (cf. Nm 6,24-26).

[3]Frei Leão, o Senhor *te abençoe* (cf. Nm 6,27b).

Carta a Santo Antônio

[1]Eu, Frei Francisco, [desejo] saúde a Frei Antônio, meu bispo[7].

[2]Apraz-me que ensines a sagrada Teologia aos irmãos, contanto que, nesse estudo, não *extingas o espírito* (cf. 1Ts 5,19) de oração e devoção, como está contido na Regra.

Carta aos clérigos

(Primeira recensão)

[1]Estejamos atentos todos nós, clérigos, ao grande pecado e ignorância que alguns têm para com o Santíssimo Corpo e Sangue de Nosso Senhor Jesus Cristo e para com os seus sacratíssimos nomes e palavras escritos que santificam o corpo. [2]Sabemos que não pode estar presente o Corpo [de Cristo], se não for antes *santificado pela Palavra* (cf. 1Tm4,5). [3]Pois nada temos e vemos corporalmente neste mundo do próprio Altíssimo, a não ser o Corpo e o Sangue, os nomes e palavras pelos quais fomos criados e *remidos da morte para a vida* (1Jo 3,14). [4]Todos aqueles, portanto, que ministram tão santos mistérios, especialmente os que os ministram de maneira ilícita,

considerem em seu íntimo como são de má qualidade os cálices, os corporais e as toalhas em que se sacrifica o Corpo e o Sangue de Cristo. [5]E por muitos é colocado e deixado em lugares vis, levado de maneira deplorável, consumido de modo indigno e ministrado indiscretamente. [6]Também os seus nomes e palavras escritos, às vezes, são pisados; [7]pois *o homem animal não percebe as coisas que são de Deus* (1Cor 2,14). [8]Não nos movemos de piedade por causa de todas estas coisas, quando o próprio piedoso Senhor se oferece em nossas mãos e nós o tratamos e recebemos diariamente em nossa boca? [9]Por acaso ignoramos que devemos cair em suas mãos? [10]Portanto, emendemo-nos depressa e firmemente de todas estas coisas e de outras; [11]e onde quer que o Santíssimo Corpo de Nosso Senhor Jesus Cristo estiver ilicitamente colocado e deixado, seja removido do lugar e colocado com destaque em lugar precioso. [12]Semelhantemente, os nomes e as palavras escritos do Senhor, onde forem encontrados em lugares sujos, sejam recolhidos e devem ser colocados em lugar honesto. [13]Todos os clérigos são obrigados, acima de tudo, a observar todas estas coisas até ao fim. [14]E os que não o fizerem saibam que devem *prestar contas* diante de Nosso Senhor Jesus Cristo *no dia do julgamento* (cf. Mt 12,36). [15]Aqueles que fizerem exemplares para que este escrito possa ser mais bem observado saibam que são abençoados pelo Senhor Deus.

Carta aos clérigos
(Segunda recensão)

[1]Estejamos atentos todos nós, clérigos, ao grande pecado e ignorância que alguns têm para com o Santíssimo Corpo e Sangue de Nosso Senhor Jesus Cristo e para com os seus sacratíssimos nomes e palavras escritos que santificam o corpo. [2]Sabemos que não pode estar presente o Corpo [de Cristo], se não for antes *santificado pela Palavra* (cf. 1Tm 4,5). [3]Pois nada temos e vemos corporalmente neste mundo do próprio Altíssimo, a não ser o corpo e o sangue, os nomes e palavras pelos quais fomos criados e *remidos da morte para a vida* (1Jo 3,14). [4]Todos aqueles, portanto, que ministram tão santos mistérios, especialmente os que os ministram indiscretamente, considerem em seu íntimo como são de má qualidade os cálices, os corporais e as toalhas em que se sacrifica o Corpo e o Sangue de Nosso Senhor. [5]E por muitos é deixado em lugares vis, levado de maneira deplorável, consumido de modo indigno e indiscretamente ministrado. [6]Também os seus nomes e palavras escritos, às vezes, são pisados; [7]pois *o homem animal não percebe as coisas que são de Deus* (1Cor 2,14). [8]Não nos movemos de piedade por causa de todas estas coisas, quando o próprio piedoso Senhor se oferece

em nossas mãos e nós o tratamos e recebemos diariamente em nossa boca? [9]Por acaso ignoramos que devemos cair em suas mãos? [10]Portanto, emendemo-nos depressa e firmemente de todas estas coisas e de outras; [11]e onde quer que o Santíssimo Corpo de Nosso Senhor Jesus Cristo estiver ilicitamente colocado e deixado, seja removido do lugar e colocado com destaque em lugar precioso. [12]Semelhantemente, os nomes e as palavras escritos do Senhor, onde forem encontrados em lugares sujos, sejam recolhidos e devem ser colocados em lugar honesto. [13]E sabemos que somos obrigados, acima de tudo, a observar todas estas coisas de acordo com os preceitos do Senhor e as constituições da santa mãe Igreja. [14]E quem não o fizer saiba que deve *prestar contas* diante de Nosso Senhor Jesus Cristo *no dia do julgamento* (cf. Mt 12,36). [15]Aqueles que fizerem exemplares para que este escrito possa ser mais bem observado saibam que são abençoados pelo Senhor Deus.

Carta aos custódios
(Primeira recensão)

[1]A todos os custódios dos frades menores, aos quais chegar esta carta, Frei Francisco, vosso servo e pequenino no Senhor, deseja saúde com os novos sinais do céu e da terra, os quais são grandes e so-

bremaneira excelentes, mas minimamente considerados por muitos religiosos e por outros homens.

[2]Rogo-vos mais do que por mim mesmo que, quando vos convier e parecer melhor, supliqueis humildemente aos clérigos que o Santíssimo Corpo e Sangue de Nosso Senhor Jesus Cristo e seus santos nomes e palavras escritos, que santificam o Corpo [de Cristo], devam ser venerados acima de todas as coisas. [3]E devem ser preciosos os cálices, corporais, ornamentos do altar e tudo o que se refere ao sacrifício. [4]E se em algum lugar o Santíssimo Corpo do Senhor estiver muito pobremente colocado, de acordo com as prescrições da Igreja, seja por eles colocado com destaque em lugar precioso e seja levado com grande veneração e ministrado com discrição aos outros. [5]Também os nomes e as palavras escritos do Senhor, onde forem encontrados em lugares sujos, sejam recolhidos e colocados em lugar honesto. [6]E em toda pregação que fizerdes, admoestai o povo sobre a penitência e que ninguém pode salvar-se, a não ser quem recebe o Santíssimo *Corpo* e *Sangue* (cf. Jo 6,54) do Senhor; [7]e quando é sacrificado pelo sacerdote sobre o altar e é levado para outra parte, todas as pessoas, de joelhos, rendam louvores, *glória e honra* (cf. Ap 4,9) ao Senhor *Deus vivo e verdadeiro* (cf. 1Ts 1,9). [8]E de tal modo anuncieis e pregueis a todas as pessoas sobre o louvor dele que, a toda hora

e quando soarem os sinos, sempre sejam dados, por todo o povo, louvores e graças ao Deus onipotente por toda a terra.

[9]E todos os meus irmãos custódios, aos quais chegar este escrito e que fizerem exemplares e o mantiverem consigo e fizerem cópias para os outros irmãos que têm o ofício da pregação e do cuidado dos irmãos e pregarem até ao fim tudo que está contido neste escrito, saibam que têm a bênção do Senhor Deus e a minha. [10]E tenham isto por verdadeira e santa obediência. Amém.

Carta aos custódios
(Segunda recensão)

[1]A todos os custódios dos frades menores, aos quais chegar esta carta, Frei Francisco, o menor dos servos de Deus, deseja saúde e a santa paz no Senhor.

[2]Sabei que diante de Deus existem certas coisas muito elevadas e sublimes, as quais, algumas vezes, são consideradas como vis e abjetas entre os homens; [3]e outras são caras e honradas entre os homens que diante de Deus são tidas como as mais vis e abjetas. [4]Rogo-vos, quanto posso, diante do Senhor nosso Deus, que entregueis aos bispos e aos outros cléri-

gos aquela carta que trata do Santíssimo Corpo e Sangue de nosso Senhor; [5]e retenhais na memória o que vos recomendamos a respeito destas coisas. [6]Fazei imediatamente muitos exemplares da outra carta que vos envio para que a entregueis aos *podestàs*[8], aos cônsules e aos dirigentes e na qual estão contidos os louvores de Deus a serem publicados entre o povo e nas praças; [7]e enviai-a com grande diligência àqueles a quem deve ser entregue.

CARTA AOS FIÉIS

(Primeira recensão)

(Exortação aos irmãos e irmãs da Penitência)

Em nome do Senhor!

[CAPÍTULO I – AQUELES QUE FAZEM PENITÊNCIA]

[1]Todos os que amam o Senhor *de todo o coração, com toda a alma e com todo o pensamento, com toda a força* (cf. Mc 12,30) e *amam seu próximo como a si mesmos* (cf. Mt 22,39), [2]e odeiam seus corpos com os vícios e pecados, [3]recebem o Corpo e o Sangue de Nosso Senhor Jesus Cristo, [4]e produzem dignos frutos de penitência: [5]Quão bem-aventurados e benditos são aqueles e aquelas ao fazerem tais coisas e nelas

perseverarem, [6]porque *pousará sobre eles o espírito do Senhor* (cf. Is 11,2) e *fará neles* habitação e um *lugar de repouso* (cf. Jo 14,23); [7]e são *filhos do Pai* (cf. Mt 5,45) celestial, cujas obras realizam, e são esposos, *irmãos e mães* (cf. Mt 12,50) de Nosso Senhor Jesus Cristo. [8]Somos esposos, quando a alma fiel se une pelo Espírito Santo a Nosso Senhor Jesus Cristo. [9]Somos seus irmãos, quando fazemos *a vontade do Pai que está nos céus* (Mt 12,50). [10]Somos suas mães, quando o *trazemos em* nosso coração e em nosso *corpo* (cf. 1Cor 6,20) através do amor divino e da *consciência pura* (1Tm 3,9) e sincera; damo-lo à luz por santa *operação* que deve *brilhar* (cf. Mt 5,16) como exemplo para os outros.

[11]Como é glorioso, santo e sublime ter nos céus um Pai! [12]Como é santo, consolador, belo e admirável ter tal esposo! [13]Como é santo e dileto, muito aprazível, humilde, pacífico, doce, amável e acima de tudo desejável ter tal irmão e tal filho: Nosso Senhor Jesus Cristo, que *expôs a sua vida pelas suas ovelhas* (cf. Jo 10,15) [14]e orou ao Pai, dizendo: *Pai santo, guarda em teu nome* (Jo 17,11) *aqueles que me deste* no *mundo; eles eram teus, e os deste a mim* (Jo 17,6). [15]E *as palavras que me deste, eu lhes dei; e eles aceitaram e* creram *verdadeiramente que saí de ti e* reconheceram *que tu me enviaste* (Jo 17,8). [16]Rogo por eles e *não pelo mundo* (cf. Jo 17,9). [17]Abençoa-os e *santifica-os* (Jo 17,17), *e por eles santifico-me a mim mesmo* (Jo 17,19). [18]*Não rogo somente por*

eles, mas também por aqueles que hão de crer em mim por meio da palavra deles (Jo 17,20), *para que, assim como nós* (Jo 17,11), *eles sejam* santificados *na unidade* (cf. Jo 17,23). [19]E *quero, Pai, que, onde eu estou, também eles estejam comigo, para que vejam minha glória* (Jo 17,24) *em teu reino* (Mt 20,21).

Amém.

♦

[Capítulo II – Aqueles que não fazem penitência]

[1]Todos aqueles e aquelas, porém, que não estão em penitência [2]e não recebem o Corpo e o Sangue de Nosso Senhor Jesus Cristo, [3]operam vícios e pecados e andam segundo a má concupiscência e os maus desejos de sua carne, [4]não observam o que prometeram ao Senhor [5]e servem corporalmente ao mundo com seus desejos carnais e com as preocupações deste mundo e com os cuidados desta vida: [6]aprisionados pelo demônio, de quem são filhos e cujas *obras realizam* (cf. Jo 8,41), [7]são cegos, porque não veem Nosso Senhor Jesus Cristo como verdadeira luz. [8]Não possuem a sabedoria espiritual, pois não têm o Filho de Deus, que é a verdadeira sabedoria do Pai. [9]Deles se diz: *A sua sabedoria foi tragada* (Sl 106,27); e: *Malditos os que se extraviam dos vossos mandamentos* (Sl 118,21). [10]Veem e conhecem, sabem e fazem o mal e eles próprios perdem conscientemente suas almas. [11]Vede, ó

cegos, ó iludidos pelos vossos inimigos, a saber, pela carne, pelo mundo e pelo demônio; pois ao corpo é doce cometer o pecado, e amargo é servir a Deus; [12]porque, como diz o Senhor no Evangelho, todos os vícios e pecados brotam e *provêm do coração dos homens* (cf. Mc 7,21). [13]E nada tendes neste mundo e nem no futuro. [14]E julgais possuir por muito tempo as vaidades deste mundo, mas fostes iludidos, porque virão o dia e a hora em que não pensais e que vós desconheceis e ignorais; o corpo adoece, a morte aproxima-se, e assim morre de morte amarga. [15]E onde, quando e como quer que morra o homem em pecado mortal sem penitência e reparação, visto que pode reparar e não oferece reparação, o demônio rouba-lhe a alma do corpo com tanta angústia e tribulação que ninguém pode saber, a não ser quem as suporta. [16]E todos os talentos e poder, *ciência e sabedoria* (2Cr 1,12) *que julgava ter ser-lhe-ão tirados*[9] (cf. Lc 8,18; Mc 4,25). [17]E deixa-os aos parentes e amigos; e estes, depois que levaram e dividiram os seus haveres, disseram: Maldita seja a sua alma, pois poderia adquirir e dar-nos mais do que adquiriu. [18]Os vermes comem o corpo; deste modo, perde o corpo e a alma neste mundo efêmero e irá para o inferno, onde será atormentado sem fim.

[19]Rogamos *na caridade que é Deus* (cf. 1Jo 4,16) a todos aqueles a quem chegar esta carta que recebam

benignamente e com divino amor estas supracitadas odoríferas palavras de Nosso Senhor Jesus Cristo. [20]E os que não sabem ler mandem lê-la muitas vezes; [21]e mantenham-na consigo com santa operação até ao fim, pois *são espírito e vida* (Jo 6,64). [22]E os que não o fizerem haverão de *prestar contas no dia do juízo* (cf. Mt 12,36) *diante do tribunal de* Nosso Senhor Jesus *Cristo* (cf. Rm 14,10).

Carta aos fiéis
(Segunda recensão)

[1]*Em nome do* Senhor, *Pai, Filho e Espírito Santo* (cf. Mt 28,19). Amém.

A todos os cristãos religiosos, clérigos e leigos, homens e mulheres, a todos os que habitam o mundo inteiro, Frei Francisco, servo e súdito de todos estes, com reverente submissão, deseja a verdadeira paz do céu e sincera caridade no Senhor.

[2]Sendo servo de todos, tenho por obrigação servir e ministrar a todos as odoríferas palavras de meu Senhor. [3]Por isso, considerando em [meu] espírito que não posso visitar a cada um pessoalmente por causa da enfermidade e fraqueza do meu corpo, resolvi transmitir-vos por meio da presente carta e de mensageiros as palavras de Nosso Senhor Jesus Cristo, que é a Palavra do Pai, e as palavras do Espírito Santo, que *são espírito e vida* (Jo 6,64).

[4]Esta Palavra do Pai tão digna, tão santa e gloriosa, o altíssimo Pai a enviou do céu por meio de seu santo anjo Gabriel ao útero da santa e gloriosa Virgem Maria, de cujo útero recebeu a verdadeira carne da nossa humanidade e fragilidade. [5]Ele, *sendo rico* (2Cor 8,9) acima de todas as coisas, quis neste mundo, com a beatíssima Virgem, sua Mãe, escolher a pobreza. [6]E, estando próxima a paixão, celebrou a Páscoa com seus discípulos e, *tomando o pão, deu graças*, abençoou-o *e partiu-o, dizendo* (cf. Lc 22,19): *Tomai e comei, isto é o meu corpo* (Mt 26,26). [7]*E, tomando o cálice*, disse: *Isto é o meu sangue da nova Aliança que será derramado* por vós e *por muitos em remissão dos pecados* (Mt 26,27). [8]Em seguida, orou ao Pai, dizendo: [9]*Pai, se for possível, passe de mim este cálice* (cf. Mt 26,39; Mc 14,35). *E seu suor se tornou como gotas de sangue a correr pela terra* (Lc 22,44). [10]Colocou, no entanto, a sua vontade *na vontade do Pai* (cf. Mt 12,50), dizendo: *Pai, faça-se a tua vontade* (Mt 26,42); *não como eu quero, mas como tu queres* (Mt 26,39). [11]A vontade do Pai foi esta: que seu Filho bendito e glorioso, que *nos deu* e *que nasceu por nós* (cf. Is 9,6), se oferecesse a si mesmo, *através de seu próprio sangue* (Hb 9,12), como sacrifício e hóstia no altar da cruz; [12]não para si mesmo, *por quem foram feitas todas as coisas* (cf. Jo 1,3), mas *pelos nossos pecados* (cf. 1Pd 3,18), [13]*deixando-nos o exemplo para que sigamos suas pegadas* (cf. 1Pd 2,21).

[14]E Ele quer que todos sejamos salvos por Ele e que o recebamos com o coração puro e com o corpo casto. [15]Mas poucos são os que querem recebê-lo e ser salvos por ele, conquanto seja seu *jugo suave*, e seu *peso leve* (cf. Mt 11,30).

[16]Os que não querem provar quão *suave é o Senhor* (cf. Sl 33,9) e amam *mais as trevas do que a luz* (Jo 3,19), não querendo cumprir os mandamentos de Deus, são malditos; [17]a respeito destes é dito pelo profeta: *Malditos os que se extraviam dos vossos mandamentos* (Sl 118,21). [18]Mas quão bem-aventurados e benditos são os que amam a Deus e fazem como diz o Senhor no Evangelho: *Ama o Senhor teu Deus de todo o coração, com todo o teu pensamento* (Mt 22,37; Dt 6,5) *e a teu próximo como a ti mesmo* (Mt 22,39; Lv 19,18).

[19]Amemos, portanto, a Deus e adoremo-lo com coração puro, porque ele mesmo, querendo isto acima de tudo, disse: *Os verdadeiros adoradores adorarão o Pai em espírito e em verdade* (Jo 4,23). [20]Logo, aos que o adoram convém adorá-lo em espírito da verdade (Jo 4,24). [21]E digamos-lhe louvores e orações *de dia e de noite* (Sl 31,4), dizendo: *Pai nosso que estás nos céus* (Mt 6,9), porque *devemos sempre orar e não desanimar* (Lc 18,1).

[22]Devemos, ainda, confessar todos os nossos pecados ao sacerdote; e dele recebamos o Corpo e Sangue de Nosso Senhor Jesus Cristo. [23]Quem *não come sua*

carne e não bebe seu sangue (cf. Jo 6,54.55.57) *não pode entrar no Reino de Deus* (Jo 3,5). [24]No entanto, coma e beba dignamente, pois quem o recebe *indignamente come e bebe para si a condenação, não distinguindo*, isto é, não discernindo *o Corpo do Senhor* (1Cor 11,29). [25]Produzamos, além disso, *dignos frutos de penitência* (Lc 3,8). [26]E *amemos* [nossos] *próximos como a nós mesmos* (cf. Mt 22,39). [27]E se alguém não os quiser amar como a si mesmo, pelo menos não lhes cause males, mas faça-lhes o bem.

[28]Aqueles que receberam o poder de julgar os outros exerçam o julgamento com misericórdia, como eles próprios gostariam de obter do Senhor a misericórdia. [29]*Pois, julgamento sem misericórdia* terão os que *não fizerem misericórdia* (Tg 2,13). [30]Tenhamos igualmente caridade e humildade; pratiquemos a *esmola*, porque *ela* lava as almas das imundícies *dos pecados* (cf. Tb 4,11; 12,9). [31]Pois os homens perdem tudo o que deixam neste mundo; levam, porém, consigo o fruto da caridade e as esmolas que praticaram, pelas quais terão do Senhor o prêmio e a digna remuneração.

[32]Devemos também jejuar e *abster-nos dos* vícios e *pecados* (cf. Eclo 3,32) e do excesso de alimentos e de bebida; e devemos ser católicos. [33]Devemos também visitar as igrejas com frequência, venerar os clérigos e reverenciá-los, embora sejam pecadores, não so-

mente por causa deles, mas por causa do ofício e do ministério do Santíssimo Corpo e Sangue de Cristo que eles sacrificam no altar, recebem e aos outros ministram. [34]E saibamos todos firmemente que ninguém pode salvar-se, a não ser através das santas palavras e do sangue de Nosso Senhor Jesus Cristo, [palavras] que os clérigos pronunciam, anunciam e ministram. [35]E somente eles devem ministrá-los, e não outros. [36]Especialmente os religiosos, que renunciaram ao mundo, são obrigados a *fazer* mais e maiores coisas, mas *sem deixar* (cf. Lc 11,42) estas.

[37]Devemos odiar nossos corpos com os vícios e pecados, porque diz o Senhor no Evangelho: Todos os males, vícios e pecados *provêm do coração* (Mt 15,18.19; Mc 7,23). [38]Devemos *amar nossos inimigos* e fazer o bem *àqueles que* nos *odeiam* (cf. Mt 5,44; Lc 6,27). [39]Devemos observar os preceitos e os conselhos de Nosso Senhor Jesus Cristo. [40]Devemos também *renunciar-nos a nós mesmos* (cf. Mt 16,24) e colocar nossos corpos sob o jugo da servidão e da santa obediência, como cada um prometeu ao Senhor. [41]E ninguém é obrigado a obedecer a outro em coisa em que se comete delito ou pecado.

[42]Aquele a quem foi confiada a obediência e que é tido como *maior seja o menor* (Lc 22,26) e servo dos outros irmãos. [43]E faça e tenha misericórdia para com cada um dos irmãos, como gostaria que se lhe

fizesse, se estivesse em caso semelhante. [44]Não se ire contra o irmão por causa do pecado dele, mas, com toda a paciência e humildade, admoeste-o e benignamente o apoie.

[45]Não devemos ser *sábios* e prudentes *segundo a carne* (cf. 1Cor 1,26), mas antes devemos ser simples, humildes e puros. [46]E mantenhamos nossos corpos em opróbrio e desprezo, porque todos nós, por culpa nossa, somos miseráveis e pútridos, fétidos e vermes, como diz o Senhor pelo profeta: *Eu sou um verme e não um homem, opróbrio dos homens e abjeção do povo* (Sl 21,7). [47]Nunca devemos desejar estar acima dos outros, mas antes devemos ser servos e submissos *a toda criatura humana por causa de Deus* (1Pd 2,13). [48]E à medida que todos aqueles e aquelas fizerem tais coisas e perseverarem até ao fim, *pousará sobre eles o espírito do Senhor* (cf. Is 11,2) e *fará neles* habitação e um *lugar de repouso* (cf. Jo 14,23); [49]e serão *filhos do Pai* (cf. Mt 5,45) celestial, cujas obras realizam. [50]E são esposos, *irmãos e mães* (cf. Mt 12,50) de Nosso Senhor Jesus Cristo. [51]Somos esposos, quando a alma fiel se une pelo Espírito Santo a Jesus Cristo. [52]Somos seus irmãos, quando fazemos *a vontade do Pai que está nos céus* (Mt 12,50); [53]somos mães, quando o *trazemos em* nosso coração e nosso *corpo* (cf. 1Cor 6,20) através do amor e da consciência pura e sincera; damo-lo à luz

por santa *operação* que deve *brilhar* (cf. Mt 5,16) como exemplo para os outros.

[54]Como é glorioso, santo e sublime ter nos céus um pai! [55]Como é santo, consolador, belo e admirável ter um esposo! [56]Como é santo e dileto, aprazível, humilde, pacífico, doce, amável e acima de tudo desejável ter tal irmão e filho que *expôs a sua vida pelas suas ovelhas* (cf. Jo 10,15) e orou ao Pai por nós, dizendo: *Pai santo, guarda em teu nome aqueles que me deste* (Jo 17,11). [57]Pai, todos *os que me deste no mundo eram teus e a mim os deste* (Jo 17,6). [58]E *as palavras que me deste, eu lhas dei; e eles aceitaram e reconheceram verdadeiramente que saí de ti e creram que tu me enviaste* (Jo 17,8); rogo por eles e *não pelo mundo* (cf. Jo 17,9); abençoa-os e *santifica-os* (Jo 17,17). [59]*E por eles santifico-me a mim mesmo, para que sejam santificados* (Jo 17,19) *na unidade assim como também nós* o somos (Jo 17,11). [60]E *quero, Pai, que, onde eu estou, também eles estejam comigo, para que vejam minha glória* (Jo 17,24) *em teu reino* (Mt 20,21).

[61]A Ele que tantas coisas suportou por nós, que tantos bens nos concedeu e concederá no futuro, *toda criatura que está nos céus, na terra, no mar* e nos abismos renda *louvor, glória, honra e bênção* (cf. Ap 5,13), [62]porque Ele é a nossa força e fortaleza, Ele é o único bom, o único altíssimo, o único onipotente, admirável, glorioso e o único santo, louvável e *bendito* pelos infinitos *séculos* dos séculos. *Amém* (cf. Rm 9,5).

[63]Todos aqueles, porém, que não estão em penitência e não recebem o Corpo e o Sangue de Nosso Senhor Jesus Cristo, [64]operam vícios e pecados, andam segundo a má concupiscência e os maus desejos de sua carne e não observam o que prometeram, [65]servem corporalmente ao mundo *com* seus *desejos carnais* (cf. 1Pd 2,11) e com os cuidados e *preocupações* deste *mundo* (cf. Mt 13,22) e com os cuidados desta vida, [66]iludidos pelo demônio, de quem são filhos e cujas *obras realizam* (cf. Jo 8,41), são cegos, porque não veem Nosso Senhor Jesus Cristo como verdadeira luz. [67]Não possuem a sabedoria espiritual, pois não têm em si o Filho de Deus, que é a verdadeira sabedoria do Pai. Deles se diz: *A sua sabedoria foi tragada* (Sl 106,27). [68]Veem e conhecem, sabem e fazem o mal; e perdem conscientemente suas almas. [69]Vede, ó cegos, ó iludidos pelos vossos inimigos, a saber, pela carne, pelo mundo e pelo demônio; pois ao corpo é doce cometer o pecado, e amargo é servir a Deus, porque, como diz o Senhor no Evangelho, *todos os males*, vícios e pecados brotam e *provêm do coração dos homens* (cf. Mc 7,21.23). [70]E nada tendes neste mundo e nem no futuro. [71]Julgais possuir por muito tempo as vaidades deste mundo, mas fostes iludidos, porque virão o dia e a hora em que não pensais e que vós desconheceis e ignorais.

[72]O corpo adoece, a morte aproxima-se, chegam os parentes e amigos, dizendo: *Dispõe de teus haveres* (Is 38,1). [73]Eis que sua mulher e filhos, parentes e amigos fingem chorar. [74]Ele, voltando-se, os vê a chorar; move-se por má comoção; pensando consigo mesmo, diz: eis que coloco em vossas mãos o meu corpo, minha alma e todos os meus bens. [75]Na verdade, este homem é maldito, pois confiou e colocou em tais mãos sua alma, seu corpo e todos os seus bens; [76]pois diz o Senhor pelo profeta: *Maldito o homem que confia no homem* (Jr 17,5). [77]E imediatamente chamam o sacerdote; diz-lhe o sacerdote: "Queres receber a penitência por todos os teus pecados?" Ele responde: "Quero". [78]"Queres com os teus haveres, já que podes, fazer reparação das coisas confiscadas e daquelas com que fraudaste e enganaste os homens?" Ele responde: "Não". [79]E o sacerdote diz: "Por que não?" [80]"Porque depositei tudo nas mãos dos parentes e amigos". [81]E começa a perder a fala e assim morre aquele infeliz.

[82]Saibam todos, porém, que onde, quando e como quer que morra um homem em pecado mortal sem reparação, visto que pode reparar e não ofereceu reparação, o demônio lhe rouba a alma do corpo com tanta angústia e tribulação que ninguém pode saber, a não ser quem a suporta. [83]E todos os talentos, poder e ciência que *julgava ter* (cf. Lc 8,18) *ser-lhe-ão ti-*

rados (Mc 4,25). [84]E deixa-os aos parentes e amigos; e estes levam e dividem os seus haveres e depois dizem: "Maldita seja a sua alma, pois poderia adquirir e dar-nos mais do que adquiriu". [85]Os vermes comem o corpo; deste modo, perde o corpo e a alma neste mundo efêmero e irá para o inferno, onde será atormentado sem fim.

[86]*Em nome do Pai, do Filho e do Espírito Santo* (cf. Mt 28,19). Amém. [87]Eu, Frei Francisco, vosso servo menor, vos rogo e vos suplico na *caridade que é Deus* (1Jo 4,16), e com vontade de beijar-vos os pés, que, com humildade e caridade, recebais, coloqueis em obras e observeis estas e outras palavras de Nosso Senhor Jesus Cristo. [88]E todos aqueles e aquelas que as receberem benignamente, as entenderem e enviarem cópia aos outros e nelas *perseverarem até ao fim* (Mt 24,13), que os abençoe o Pai e o Filho e o Espírito Santo. Amém.

Carta a Frei Leão[10]

[1]Frei Leão, teu irmão Frei Francisco deseja-te saúde e paz. [2]Assim te digo, meu filho, como mãe: coloco brevemente nesta frase todas as palavras que falamos pelo caminho e [te] aconselho; e, se depois precisares por motivo de conselho vir a mim, assim te aconselho: [3]qualquer que seja o modo que te pa-

reça melhor *agradar* ao Senhor *Deus* (cf. 1Cor 7,32) e *seguir suas pegadas* (cf. 1Pd 2,21) e sua pobreza, faze-o com a bênção do Senhor Deus e com minha obediência. [4]E se te for necessária outra consolação para tua alma e se quiseres vir a mim, Frei Leão, vem.

Carta a um ministro

[1]Ao ministro Frei N. *O Senhor te abençoe* (cf. Nm 6,24a). [2]A respeito do estado de tua alma, digo-te, da maneira como posso: aquelas coisas que te impedem de amar o Senhor Deus, bem como aqueles que te opuserem obstáculo, irmãos ou outros, tudo deves ter como graça, até mesmo se te açoitarem. [3]E queiras que seja desta maneira e não de outra. [4]Tenhas isto como verdadeira obediência do Senhor Deus e minha, pois sei firmemente que esta é a verdadeira obediência. [5]E ama aqueles que te fazem estas coisas. [6]Não queiras da parte deles outra coisa, a não ser o quanto o Senhor te conceder. [7]E ama-os em tudo isto; e não queiras que sejam cristãos melhores. [8]Considera isto mais que um eremitério. [9]E quero reconhecer se tu amas o Senhor e a mim, servo dele e teu, se fizeres isto: não haja no mundo irmão que pecar, o quanto puder pecar, que, após ter visto teus olhos, nunca se afaste sem a tua misericórdia, caso buscar misericórdia. [10]Se não buscar misericórdia, pergun-

ta-lhe se quer [obter] misericórdia. [11]E se depois ele pecar mil vezes diante de teus olhos, ama-o mais do que a mim para trazê-lo ao Senhor; e tenhas sempre misericórdia desses irmãos. [12]E, quando puderes, comunica aos guardiães que decidiste agir assim.

[13]De todos os capítulos da Regra que falam sobre pecados mortais faremos, no Capítulo de Pentecostes, com a ajuda de Deus e com o conselho dos irmãos, um capítulo assim: [14]Se algum dos irmãos, por instigação do inimigo, pecar mortalmente, seja obrigado por obediência a recorrer ao seu guardião. [15]E todos os irmãos que souberem que ele pecou não lhe causem vergonha nem detração, mas tenham para com ele grande misericórdia e mantenham muito oculto o pecado de seu irmão; *pois não são os que têm saúde que necessitam de médico, mas os doentes* (Mt 9,12). [16]Sejam igualmente obrigados por obediência a enviá-lo ao seu custódio com um companheiro. [17]E o custódio trate-o misericordiosamente, como ele próprio gostaria de ser tratado, se estivesse em situação semelhante. [18]E se cair em outro pecado venial, confesse ao seu irmão sacerdote. [19]Se aí não houver sacerdote, confesse ao seu irmão, até que haja um sacerdote que o absolva canonicamente, como ficou dito. [20]E estes não tenham absolutamente poder de impor outra penitência, a não ser esta: *Vai e não peques mais* (cf. Jo 8,11).

[21]Para que este escrito seja mais bem observado, peço que o guardes contigo até Pentecostes; lá, [no Capítulo], estarás com teus irmãos. [22]E, com a ajuda do Senhor Deus, cuidarás de completar estas e todas as outras coisas que estão faltando na Regra.

Carta enviada a toda a Ordem

[1]Em nome da suma Trindade e da santa unidade *do Pai e do Filho e do Espírito Santo* (cf. Mt 28,19). Amém!

[2]A todos os reverendos e mui diletos irmãos, a Frei A., ministro geral da Religião[11] dos frades menores, seu senhor, e aos outros que serão ministros gerais depois dele, a todos os ministros e custódios, aos humildes sacerdotes da mesma fraternidade em Cristo e a todos os irmãos simples e obedientes, aos primeiros e aos últimos, [3]Frei Francisco, homem desprezível e frágil, vosso pequenino servo, deseja saúde naquele *que nos* remiu e *lavou em seu* preciosíssimo *sangue* (cf. Ap 1,5); [4]ao ouvir o nome dele, *prostrados por terra* (cf. Esd 8,6; Gn 19,1), adorai-o com temor e reverência; o nome dele é Senhor Jesus Cristo, *Filho do Altíssimo* (cf. Lc 1,32), *que é bendito pelos séculos* (Rm 1,25; 9,5).

[5]*Ouvi*, senhores *filhos* (cf. Pr 4,1) e irmãos meus, *prestai atenção às minhas palavras* (At 2,14). [6]*Inclinai o*

ouvido (Is 55,3) de vosso coração e obedecei à voz do Filho de Deus. [7]Guardai em todo o vosso coração os seus mandamentos e cumpri os seus conselhos com a mente perfeita. [8]*Proclamai-o, pois ele é bom* (Sl 135,1), e *exaltai-o em vossas obras* (Tb 13,6); [9]pois, *com este intuito ele vos* enviou (cf. Tb 13,4) *por todo o mundo* (cf. Mc 16,15), para que, por palavras e obras, deis testemunho de sua voz e anuncieis a todos que *não há ninguém onipotente além dele* (cf. Tb 13,4). [10]*Perseverai na disciplina* (Hb 12,7) e na santa obediência e cumpri, com propósito bom e firme, o que lhe prometestes. [11]O Senhor *Deus se oferece* a nós *como a seus filhos* (Hb 12,7).

[12]Assim, suplico a todos vós, irmãos, beijando-vos os pés e com a caridade com que posso, que manifesteis toda a reverência e toda a honra que puderdes ao Santíssimo Corpo e Sangue de Nosso Senhor Jesus Cristo, [13]no qual *foram pacificadas e reconciliadas* com Deus onipotente *todas as coisas que há nos céus e na terra* (cf. Cl 1,20).

[14]Rogo também no Senhor a todos os meus irmãos sacerdotes – os que são, os que serão e os que desejam ser sacerdotes do Altíssimo – que, todas as vezes que quiserem celebrar a missa, puros e de maneira pura, ofereçam com reverência o verdadeiro sacrifício do Santíssimo Corpo e Sangue de Nosso Senhor Jesus Cristo com santa e pura intenção, não em vista de alguma coisa terrena nem por temor ou amor

a qualquer pessoa, *como que agradando aos homens* (cf. Ef 6,6; Cl 3,22). [15]Mas toda a vossa vontade – à medida que a graça [vos] ajudar – esteja dirigida a Deus, desejando assim agradar unicamente ao mesmo Senhor altíssimo, porque aí só Ele opera como lhe apraz; [16]pois – como Ele mesmo diz: *Fazei isto em memória de mim* (Lc 22,19; 1Cor 11,24) –, se alguém o fizer de modo diferente, torna-se Judas traidor e *réu do corpo e do sangue do Senhor* (cf. 1Cor 11,27).

[17]Recordai-vos, meus irmãos sacerdotes, o que foi escrito a respeito da lei de Moisés: aquele que a transgredia, mesmo em coisas materiais, *morria sem nenhuma comiseração* (cf. Hb 10,28) pela sentença do Senhor. [18]*Quão* maiores e *piores suplícios merece* sofrer *aquele que calcar com os pés o Filho de Deus e profanar o sangue da Aliança, no qual foi santificado, e ultrajar o espírito da graça* (Hb 10,29). [19]O homem despreza, profana e calca com os pés o Cordeiro de Deus, quando, como diz o apóstolo, *não distinguindo* (1Cor 11,29) e não discernindo o santo pão de Cristo de outros alimentos ou obras, o come indignamente ou também, embora digno, o come levianamente e sem dignidade, como diz o Senhor pelo profeta: *maldito* o homem que *realiza com fraude a obra* (cf. Jr 48,10) de Deus. [20]E, na verdade, condena os sacerdotes que não querem colocar isto no coração, dizendo: *Amaldiçoarei as vossas bênçãos* (Ml 2,2).

[21]Ouvi, irmãos meus: Se a Bem-aventurada Virgem é tão honrada – como convém –, porque o trouxe em seu santíssimo útero; se o bem-aventurado Batista estremeceu e não ousou tocar a santa cabeça de Deus; se se venera o sepulcro em que ele jazeu por algum tempo, [22]quão santo, justo e digno não deve ser quem *traz nas mãos* (cf. 1Jo 1,1), recebe na boca e no coração e oferece aos outros para receberem aquele que já não mais morrerá, mas há de viver eternamente glorificado, *a quem os anjos desejam contemplar*! (1Pd 1,12).

[23]*Considerai a vossa* dignidade, *irmãos* (cf. 1Cor 1,26) sacerdotes, e *sede santos, porque Ele é santo* (cf. Lv 19,2). [24]E assim como o Senhor Deus vos honrou acima de todos por causa deste ministério, de igual modo também vós amai-o, reverenciai-o e honrai-o acima de todos. [25]Grande miséria e fraqueza digna de comiseração, quando o tendes assim presente e vos preocupais com qualquer outra coisa em todo o mundo. [26]Pasme o homem todo, estremeça o mundo inteiro, e exulte o céu, quando sobre o altar, nas mãos do sacerdote, está o *Cristo*, o *Filho de Deus vivo* (Jo 11,27). [27]Ó admirável grandeza e estupenda dignidade! Ó sublime humildade! Ó humilde sublimidade: o Senhor do universo, Deus e Filho de Deus, tanto se humilha a ponto de esconder-se, pela nossa salvação, sob a módica forma de pão! [28]Vede, irmãos,

a humildade de Deus e *derramai diante dele os vossos corações* (Sl 61,9); *humilhai-vos* também vós, *para serdes exaltados* (cf. 1Pd 5,6; Tg 4,10) por ele. [29]Portanto, nada de vós retenhais para vós, a fim de que totalmente vos receba aquele que totalmente se vos oferece.

[30]Por isso, admoesto e exorto no Senhor a que, nos lugares onde moram os irmãos, seja celebrada apenas uma missa por dia, segundo a forma da santa Igreja. [31]Se, porém, houver muitos sacerdotes no lugar, por amor da caridade, contente-se um em ouvir a celebração do outro sacerdote; [32]porque o Senhor Jesus Cristo sacia os presentes e ausentes que são dignos dele. [33]Ele, embora pareça estar em muitos lugares, permanece, contudo, indivisível e não conhece qualquer tipo de detrimento, mas, em todo lugar, como lhe agrada, opera em unidade com o Senhor Deus Pai e com o Espírito Santo Paráclito *pelos séculos dos séculos. Amém* (cf. Ap 1,6).

[34]E, porque *quem provém de Deus ouve as palavras de Deus* (cf. Jo 8,47), devemos nós, por conseguinte, que mais especialmente fomos encarregados dos ofícios divinos, não só ouvir e fazer o que o Senhor diz, mas também, para compenetrar-nos da grandeza do nosso Criador e da nossa submissão a ele, guardar os vasos e demais objetos do ofício, os quais contêm suas santas palavras. [35]Por isso, admoesto e conforto

todos os meus irmãos em Cristo a que, onde encontrarem as palavras divinas escritas, da maneira como puderem, as venerem [36]e, no que lhes compete, se elas não estiverem bem colocadas ou se em algum lugar estiverem dispersas sem a devida honra, recolham-nas e guardem-nas, honrando o Senhor nas palavras *que Ele falou* (1Rs 2,4). [37]Pois muitas coisas *são santificadas pelas palavras de Deus* (cf. 1Tm 4,5), e é em virtude das palavras de Cristo que se realiza o sacramento do altar.

[38]Por isso, confesso todos os meus pecados ao Senhor Deus *Pai e Filho e Espírito Santo* (Mt 28,19), à Bem-aventurada sempre Virgem Maria e a todos os santos no céu e na terra, a Frei H., ministro geral da nossa Religião, como a meu venerável senhor, e aos sacerdotes de nossa Ordem e a todos os meus irmãos benditos. [39]Pequei em muitas coisas, por grave culpa minha, especialmente não observei a Regra que prometi ao Senhor nem rezei o ofício, como manda a Regra, seja por negligência, seja por motivo de minha enfermidade, seja ainda porque sou ignorante e idiota. [40]Portanto, por todas estas coisas rogo, como posso, a Frei H., meu senhor ministro geral, que faça com que a Regra seja inviolavelmente observada por todos; [41]e que os clérigos rezem o ofício com devoção diante de Deus, não atendendo à melodia da voz, mas à consonância da mente, de maneira que

a voz concorde com a mente, e a mente concorde com Deus, [42]para que possam, pela pureza de coração, aplacar a Deus e não, com a sensualidade da voz, acariciar os ouvidos do povo. [43]Prometo, pois, guardar firmemente estas coisas, conforme Deus me der a sua graça; e transmitirei estas coisas aos irmãos que estão comigo para serem observadas no ofício e nas demais constituições regulares.

[44]Aqueles irmãos, porém, que não quiserem observar estas coisas, não os tenho como católicos nem como meus irmãos; também não quero vê-los ou falar-lhes, enquanto não fizerem penitência. [45]Digo isto também a respeito de todos os outros que, deixando de lado a disciplina da regra, andam vagando; [46]pois Nosso Senhor Jesus Cristo deu a sua vida para não perder a obediência do Pai (cf. Fl 2,8).

[47]Eu, Frei Francisco, homem inútil e indigna criatura do Senhor Deus, digo pelo Senhor Jesus Cristo a Frei H., ministro geral de toda a nossa Religião, e a todos os que serão ministros gerais depois dele e aos demais custódios e guardiães dos irmãos, os que são e os que serão, que tenham junto a si este escrito, o pratiquem e cuidadosamente o guardem. [48]E suplico-lhes que guardem solicitamente e façam observar mais diligentemente estas coisas que estão nele escritas segundo o beneplácito de Deus onipotente, agora e sempre, enquanto existir este mundo.

[49]Se fizerdes estas coisas, *sereis benditos pelo Senhor* (Sl 113,13), e o Senhor esteja convosco para sempre. Amém!

[Oração]

[50]Onipotente, eterno, justo e misericordioso Deus, dai-nos a nós, míseros, por causa de vós fazer o que sabemos que quereis e sempre querer o que vos agrada, [51]para que, interiormente purificados, interiormente iluminados e abrasados pelo fogo do Santo Espírito, possamos *seguir os passos* (cf. 1Pd 2,21) de vosso dileto Filho, Nosso Senhor Jesus Cristo, [52]e, unicamente por vossa graça, chegar a vós, ó Altíssimo, que em Trindade perfeita e unidade simples viveis e reinais e sois glorificado como Deus onipotente por todos os séculos dos séculos. Amém.

Carta aos governantes dos povos

[1]A todos os *podestàs* e cônsules, aos juízes e governantes de toda a terra e a todos os outros aos quais chegar esta carta, a todos vós Frei Francisco, vosso pequenino e desprezível servo no Senhor, deseja saúde e paz.

[2]Considerai e vede, pois *o dia da morte se aproxima* (cf. Gn 47,29). [3]Portanto, rogo-vos com reverência, como posso, que não vos esqueçais do Senhor por causa dos cuidados que tendes e das *preocupações*

deste *mundo* (cf. Mt 13,22) e não vos afasteis de seus mandamentos, porque todos *aqueles que* dele se esquecem e *se afastam de seus mandamentos são amaldiçoados* (cf. Sl 118,21) e *serão* por Ele *destinados ao esquecimento* (Ez 33,13). [4]E quando chegar o dia da morte, *tudo o que julgavam possuir lhes será tirado* (cf. Lc 8,18). [5]E quanto mais sábios e poderosos tiverem sido neste mundo, tanto *maiores tormentos* (cf. Sb 6,7) sofrerão no inferno.

[6]Por isso, meus senhores, aconselho-vos firmemente que deixeis de lado todo o cuidado e preocupação e recebais benignamente, em sua santa memória, o Santíssimo Corpo e Sangue de Nosso Senhor Jesus Cristo. [7]E presteis tanta honra ao Senhor no meio do povo a vós confiado que, todas as tardes, seja anunciado por um pregoeiro ou por outro sinal, para que todo o povo renda louvores e graças ao Senhor Deus onipotente. [8]E se não fizerdes isto, sabei que deveis *prestar contas no dia do juízo* (cf. Mt 12,36) diante de vosso Senhor Jesus Cristo.

[9]Aqueles que guardarem consigo este escrito e o observarem saibam que são abençoados pelo Senhor Deus.

Exortação ao louvor de Deus

[1]*Temei ao Senhor e prestai-lhe honra* (Ap 14,7).

[2]*Digno* é *o Senhor de receber* o louvor e *a honra* (cf. Ap 4,11).

[3]Todos vós, *que temeis o Senhor, louvai-o* (cf. Sl 21,24).

[4]*Ave* Maria, *cheia de graça, o Senhor é contigo* (Lc 1,28).

[5]*Céu e terra, louvai-o* (cf. Sl 68,35).

[6]*Rios* todos, louvai *o Senhor* (cf. Dn 3,78).

[7]*Filhos* de Deus, *bendizei o Senhor* (cf. Dn 3,82).

[8]*Este é o dia que o Senhor fez, exultemos e alegremo-nos nele* (Sl 117,24). Aleluia, Aleluia, *Aleluia*! (Sl 104,1). *Rei de Israel*! (Jo 12,13).

[9]*Tudo o que respira louve o Senhor* (Sl 150,6).

[10]*Louvai o Senhor, porque Ele é bom* (Sl 146,1); todos vós que ledes estas coisas, *bendizei o Senhor* (Sl 102,21).

[11]Criaturas *todas, bendizei o Senhor* (cf. Sl 102,22).

[12]*Pássaros todos do céu,* louvai *o Senhor* (cf. Dn 3,80; Sl 148,7-10).

[13]*Crianças* todas, louvai o *Senhor* (cf. Sl 112,1).

[14]*Moços e moças* (cf. Sl 148,12), louvai o Senhor.

[15]*Digno é o Cordeiro, que foi imolado,* de receber o louvor, *a glória e a honra* (cf. Ap 5,12).

[16]Bendita seja a santa Trindade e indivisa Unidade.

[17]São Miguel Arcanjo, defendei-nos no combate.

Paráfrase ao Pai-nosso

[1]Ó santíssimo *Pai nosso* (Mt 6,9): criador, redentor, consolador e salvador nosso.

[2]*Que estais nos céus* (Mt 6,9): nos anjos e nos santos, iluminando-os para o conhecimento, porque Vós,

Senhor, *sois luz* (cf. 1Jo 1,5); abrasando-os para o amor, porque Vós, Senhor, sois amor; habitando-os e plenificando-os até à beatitude, porque Vós, Senhor, sois o sumo e eterno bem, do qual procede todo o bem, sem o qual não há nenhum bem.

[3]*Santificado seja o vosso nome* (Mt 6,9): brilhe em nós o conhecimento de Vós para que conheçamos qual seja a *largura* dos vossos benefícios, o *comprimento* das vossas promessas, a *sublimidade* da vossa majestade e a *profundidade* (cf. Ef 3,18) dos vossos juízos.

[4]*Venha o vosso reino* (Mt 6,10): para que reineis em nós pela graça e nos façais *chegar* ao *vosso reino* (cf. Lc 23,42), onde a visão de Vós é manifesta, a dileção a Vós é perfeita, a comunhão convosco é bem-aventurada e a fruição de Vós é eterna.

[5]*Seja feita a vossa vontade, assim na terra como no céu* (Mt 6,10): a fim de que vos amemos *de todo o coração* (cf. Dt 6,5), pensando sempre em Vós, desejando-vos sempre com toda a alma, dirigindo para Vós todas as nossas intenções *com todo o pensamento*, buscando em tudo a vossa honra e, *com todas as nossas forças* (Lc 10,27), gastando todas as nossas energias e sentidos da alma e do corpo em submissão ao vosso amor; e para que amemos os nossos próximos como a nós mesmos, trazendo todos, segundo nossas forças, ao vosso amor, alegrando-nos pelos bens dos outros como pelos nossos, compadecendo-nos de seus males e *não causando a ninguém qualquer mal* (cf. 2Cor 6,3).

[6]*O pão nosso de cada dia*: vosso dileto Filho, Nosso Senhor Jesus Cristo, *dai-nos hoje* (Mt 6,11): em memória, inteligência e reverência do amor que Ele teve para conosco e das coisas que nos disse, fez e sofreu.

[7]*E perdoai as nossas dívidas* (Mt 6,12): pela vossa inefável misericórdia, pela virtude da paixão de vosso dileto Filho e pelos méritos e intercessão da Beatíssima Virgem e de todos os vossos eleitos.

[8]*Assim como nós perdoamos aos nossos devedores* (Mt 6,12): e o que não perdoamos plenamente, Senhor, fazei-nos perdoar plenamente, para que, por amor a Vós, amemos verdadeiramente os inimigos e intercedamos devotamente por eles junto a Vós, *a ninguém retribuindo mal com mal* (cf. 1Ts 5,15), e que nos esforcemos para, em Vós, sermos úteis em tudo.

[9]*E não nos deixeis cair em tentação* (Mt 6,13): oculta ou manifesta, repentina ou persistente.

[10]*Mas livrai-nos do mal* (Mt 6,13): passado, presente e futuro. Glória ao Pai e ao Filho e ao Espírito Santo, como era no princípio, agora e sempre e por todos os séculos dos séculos. Amém.

Forma de vida para Santa Clara

[1]Visto que por divina inspiração vos fizestes filhas e servas do altíssimo e sumo Rei, o Pai celeste, e desposastes o Espírito Santo, escolhendo viver

segundo a perfeição do santo Evangelho, [2]quero e prometo, por mim e por meus irmãos, ter sempre por vós diligente cuidado e especial solicitude, assim como tenho por eles.

Fragmentos da Regra não Bulada

I – Fragmentos do Códice de Worcester

[1]Atendamos, irmãos todos, ao que diz o Senhor: *Amai vossos inimigos e fazei o bem àqueles que vos odeiam* (cf. Mt 5,44 par.), porque Nosso Senhor Jesus Cristo, cujas *pegadas* devemos *seguir* (cf. 1Pd 2,21), chamou *de amigo a seu traidor* (cf. Mt 26,50) e ofereceu-se espontaneamente aos que o crucificavam. [2]Amigos nossos, portanto, são todos aqueles que injustamente nos causam tribulações e angústias, vergonha e injúrias, dores e tormentos, martírio e morte; a estes devemos amar muito, porque, por causa disto que nos causam, temos a vida eterna. [3]E castiguemos o nosso corpo, crucificando-o com seus vícios, concupiscências e pecados; porque, vivendo carnalmente, ele quer tirar de nós o amor de Jesus Cristo e a vida eterna e perder a si mesmo com a alma no inferno; [4]porque nós, por nossa culpa, fomos fétidos e contrários ao bem, prontos e com vontade inclinada ao mal, como diz o Senhor: [5]*Do coração procedem e saem os maus pensamentos* (Mc 7,21) etc. [6]mas, depois que

abandonamos o mundo, nada mais devemos fazer, senão que sejamos solícitos em seguir a vontade do Senhor e agradar-lhe; [7]cuidemos muito para não sermos terra à beira do caminho ou pedregosa ou espinhosa, segundo o que diz o Senhor no Evangelho: *A semente é a palavra de Deus* (Lc 8,11); a que *caiu à beira do caminho foi pisada* (cf. Lc 8,5) etc., [8]até: *produzem fruto na paciência* (Lc 8,15).

[9]E por isso, irmãos todos, como diz o Senhor: deixemos *os mortos... os seus mortos* (Mt 8,22); [10]e acautelemo-nos muito da malícia e da esperteza de satanás que quer que o homem não tenha sua mente e o coração [voltados] para o Senhor Deus; [11]ele, rodeando, sob aparência de alguma recompensa ou de ajuda, desejaria arrebatar o coração do homem e *sufocar*-lhe na memória *a palavra* (cf. Mc 4,19) e os preceitos do Senhor, querendo também, através dos negócios e de cuidados mundanos, obcecar o coração do homem e aí habitar, como diz o Senhor: [12]*Quando o espírito imundo* (cf. Mt 12,43) etc., [13]até: *a nova situação deste homem torna-se pior do que a anterior* (cf. Mt 12,45).

[14]Portanto, irmãos todos, guardemo-nos muito para que, sob a aparência de alguma recompensa ou de obra ou de ajuda, não percamos ou afastemos do Senhor a nossa mente e o nosso coração. [15]Mas, na santa *caridade que é Deus* (cf. 1Jo 4,16), rogo a todos os irmãos, tanto aos ministros como aos outros, que,

removido todo impedimento e todo cuidado e postergada toda preocupação, onde puderem esforcem-se por amar, servir e adorar o Senhor Deus com o coração limpo e com a mente pura, pois é isto que Ele deseja acima de tudo, [16]e *façamos* sempre uma habitação e *um lugar de repouso* (cf. Jo 14,23) para Ele que é o Senhor Deus onipotente, *Pai e Filho e Espírito Santo* (cf. Mt 28,19), que disse: *Vigiai, pois, orando em todo tempo, para serdes julgados dignos de escapar dos males que hão de vir, e de vos manter de pé diante do Filho do homem* (Lc 21,36); *e quando estiverdes de pé para orar* (Mc 11,25), *dizei* (Lc 11,2): *Pai nosso* (Mt 6,9). [17]E adoremo-lo com o coração puro, *porque convém rezar sempre e não desanimar* (Lc 18,1); *pois o Pai procura* (cf. Jo 4,23) tais adoradores. [18]*Deus é espírito, e aqueles que o adoram devem adorá-lo em espírito e em verdade* (cf. Jo 4,24). [19]E recorramos a ele como ao *pastor e guarda das nossas almas* (1Pd 2,25), pois Ele diz: *Eu sou o bom pastor* (Jo 10,11) etc., até: *pelas minhas ovelhas exponho minha vida* (Jo 10,15; cf. Jo 10,11). [20]*Vós sois todos irmãos; e a ninguém chameis de pai para vós sobre a terra* (Mt 23,8-9) etc. [21]*Não vos chameis de mestres* (Mt 23,10) etc. [22]*Se permanecerdes em mim e se minhas palavras permanecerem em vós, pedireis o que quiserdes e vos será concedido* (Jo 15,7). [23]*Onde estão dois ou três reunidos em meu nome* (Mt 18,20), etc. [24]*Eis que eu estou convosco todos os dias* (Mt 28,20) etc. [25]*As palavras que eu vos disse são espírito e vida* (Jo 6,64). [26]*Eu sou o caminho, a verdade e a vida* (Jo 14,6).

[27]Guardemos, portanto, as palavras, a doutrina, a vida e o santo Evangelho de Nosso Senhor Jesus Cristo que se dignou rogar por nós ao Pai e manifestar-nos o seu nome, dizendo: Pai, *manifestei teu nome aos homens* (Jo 17,6) etc., [28]até: *Pai, quero que, onde eu estou, estejam comigo também aqueles que me deste, para que vejam a minha glória* (Jo 17,24) *em teu reino* (Mt 20,21). [29]Glória *ao Pai e ao Filho e ao Espírito Santo* (Mt 28,19), assim como era no princípio, agora e sempre, e pelos séculos dos séculos. Amém.

[30]E os irmãos mostrem aos pobres o prazer que têm entre si, como diz o apóstolo: *Não amemos por palavras nem com a língua* (1Jo 3,18) etc.

[31]Todos os irmãos, onde quer que estejam, cuidem-se do mau olhar e da frequentação de mulheres, e nenhum se reúna em conselho sozinho com elas. [32]Mais abaixo: E mantenhamo-nos muito puros e a todos os nossos membros, porque diz o Senhor: *Aquele que olha uma mulher para cobiçá-la* (Mt 5,28) etc.

[33]Mais abaixo: Quando os irmãos vão pelo mundo, *nada* levem *pelo caminho, nem bolsa* (cf. Lc 10,4) *nem sacola nem pão nem dinheiro* (cf. Lc 9,3) *nem bastão nem calçados* (cf.Mt 10,10).

[34]Mais abaixo: *Não resistam ao mau, mas àquele que lhes bater numa face, ofereçam-lhe a outra* (cf. Mt 5,39).

[35]*E a quem lhes tira a veste, não lhe proíbam de tirar também a túnica* (cf. Lc 6,29), *e a quem lhes tira as coisas que são suas, não as peçam de volta* (cf. Lc 6,30).

[36]Os irmãos que, com a licença de seu ministro, vão para o meio dos infiéis podem de dois modos conviver espiritualmente. [37]Um modo é que não litiguem nem porfiem, mas sejam submissos *a toda criatura humana por causa de Deus* (1Pd 2,13) e confessem que são cristãos. [38]Outro modo é que, quando virem que agrada a Deus, anunciem a palavra de Deus, para que creiam em Deus Pai onipotente, no Filho e Espírito Santo.

[39]Mais abaixo: E todos os irmãos, onde quer que estejam, se recordem que se doaram e entregaram seus corpos ao Senhor Jesus Cristo. [40]E por amor dele devem suportar perseguição e morte tanto dos inimigos visíveis quanto dos invisíveis; etc.

[41]Mais abaixo: Todos os irmãos preguem pelos costumes. [42]Nenhum ministro ou pregador se aproprie do ministério ou do ofício da pregação, mas, em qualquer hora em que lhe for ordenado, deixe seu ofício. [43]Por isso, na *caridade que é Deus* (cf. 1Jo 4,16), suplico a todos os meus irmãos que pregam, que rezam e que trabalham, tanto os clérigos quanto os leigos, que se esforcem por humilhar-se em tudo [44]e por não se gloriar nem se regozijar consigo mesmos nem se exaltar interiormente das boas palavras e obras,

e menos ainda, por nenhum bem que Deus muitas vezes faz ou diz ou opera neles e por eles, segundo o que diz o Senhor: *Não vos alegreis, no entanto, porque os espíritos se vos submetem* (Lc 10,20), etc.

[45]E saibamos firmemente que nada nos pertence, a não ser os vícios e pecados; [46]mas antes devemos alegrar-nos quando formos submetidos a *diversas provações* (cf. Tg 1,2) e quando suportarmos quaisquer angústias da alma e do corpo e tribulações neste mundo por causa da vida eterna.

[47]Portanto, acautelemo-nos, irmãos todos, da soberba e vanglória; guardemo-nos muito da sabedoria deste mundo e da prudência da carne. [48]O espírito da carne quer e se esforça muito para ter as palavras, mas pouco para fazer as obras, [49]e procura não a religião e a santidade do espírito, mas quer e deseja a religião e santidade que aparecem exteriormente aos homens. [50]E estes são aqueles de quem diz o Senhor: *Em verdade vos digo, já receberam sua recompensa* (Mt 6,2). [51]O Espírito do Senhor, porém, quer que a carne seja mortificada e desprezada, vil e abjeta. [52]E procura a humildade, a paciência e a pura simplicidade e a verdadeira paz do espírito. [53]E deseja acima de tudo o divino temor, a divina sabedoria e o divino amor *do Pai e do Filho e do Espírito Santo* (cf. Mt 28,19).

[54]E atribuamos todos os bens ao Senhor Deus altíssimo e sumo e reconheçamos que todos os bens

são dele. [55]E Ele receba todas as honras e reverências, todos os louvores e bênçãos, todas as graças e glórias, Ele, de quem é todo o bem, *o único que é bom* (cf. Lc 18,19).

[56]E quando nós ouvirmos os homens falarem mal ou blasfemarem contra o Senhor, nós façamos o bem, bendigamos e louvemos o Senhor, *que é bendito pelos séculos* (Rm 1,25).

[57]Consideremos todos os clérigos e religiosos como senhores naquelas coisas que dizem respeito à salvação da alma e não se desviarem da minha Religião; e veneremos no Senhor a ordem, o ministério e o ofício deles.

[58]Mais abaixo: Todos os meus irmãos podem anunciar com a bênção de Deus e com a licença de seu ministro, à medida que Deus lhes inspirar e entre quaisquer homens, esta exortação ou lauda: [59]Temei e honrai, louvai e bendizei, *rendei graças* (1Ts 5,18) e adorai o Senhor nosso Deus, onipotente na Trindade e na Unidade, Pai e Filho e Espírito Santo, Criador de todas as coisas. [60]*Fazei penitência* (cf. Mt 3,2) e *produzi dignos frutos de penitência* (Lc 3,8), pois sabei que em breve morreremos. [61]*Dai e vos será dado* (Lc 6,38). [62]*Perdoai e vos será perdoado* (cf. Lc 6,37). [63]E *se não perdoardes* (Mt 6,15), o Senhor não *vos perdoará vossos pecados* (Mc 11,25); *confessai* todos *os vossos pecados* (cf. Tg 5,16). [64]*Bem-aventurados os que morrerem*

(cf. Ap 14,13) na penitência, porque estarão no Reino dos Céus. [65]Ai daqueles que não morrerem na penitência, porque serão *filhos do demônio* (cf. Jo 8,41), cujas obras fazem, e irão para o fogo eterno. [66]Precavei-vos e abstende-vos de todo mal e perseverai no bem até ao fim.

[67]Cuidem os irmãos todos, onde quer que estiverem, nos eremitérios ou em outros lugares, para não se apropriarem de nenhum lugar e de nenhuma outra coisa e para não os reivindicarem de ninguém. [68]E quem vier procurá-los, amigo ou adversário, de nenhum modo porfiem com eles. [69]E onde quer que estejam e em qualquer lugar em que se encontrarem, devem os irmãos reverenciar-se espiritual e diligentemente e honrar *uns aos outros sem murmuração* (1Pd 4,9). [70]E cuidem para não se mostrar exteriormente tristes e sombriamente hipócritas; mas mostrem-se *alegres no Senhor* (cf. Fl 4,4), sorridentes, agradáveis e convenientemente simpáticos.

[71]Rogo ao irmão que estiver doente que, rendendo por tudo graças ao Criador, da maneira como o Senhor o quer, assim deseje estar, são ou enfermo, porque todos aqueles que Deus predestinou *para a vida eterna* (cf. At 13,48), ensina-os por estímulos de flagelos e de enfermidades e pelo espírito de compunção, como [diz o Senhor]: *Eu [corrijo] os que amo* (Ap 3,19) etc.

[72]Portanto, rogo a todos os meus irmãos doentes que, em suas enfermidades, não se irem nem se perturbem contra Deus ou contra os irmãos, nem exijam remédios muito insistentemente nem desejem muito libertar a carne, que depressa morrerá e que é inimiga da alma.

[73]Todos os irmãos esforcem-se por seguir a humildade e a pobreza de Nosso Senhor Jesus Cristo e recordem-se de que nada nos convém ter de todo o mundo, a não ser, como diz o apóstolo, tendo os alimentos e as vestes *com que nos cobrirmos, com estas coisas estejamos contentes* (cf. 1Tm 6,8). [74]E devem alegrar-se, quando conviverem entre pessoas insignificantes e desprezadas, entre os pobres, fracos, enfermos, leprosos e os que mendigam pela rua. [75]E quando for necessário, vão pedir esmolas. [76]E não se envergonhem, porque Nosso Senhor Jesus *Cristo, Filho do Deus vivo* (Jo 11,27) e onipotente, *expôs sua face como pedra duríssima* (Is 50,7) e não se envergonhou. [77]E Ele foi pobre e hóspede e viveu de esmolas, Ele e sua mãe, a Bem-aventurada Virgem Santa Maria, e seus discípulos. [78]E quando os homens lhes causarem vergonha e não lhas quiserem dar, deem por isso graças a Deus, porque pela vergonha receberão grande honra diante do tribunal de Nosso Senhor Jesus Cristo.

[79]E saibam que a vergonha será imputada não aos que a sofrem, mas aos que a causam; [80]e que a esmo-

la é a herança e direito que se deve aos pobres, a qual Nosso Senhor Jesus Cristo conquistou para nós. [81]E os irmãos que trabalham para adquiri-la terão grande recompensa e farão lucrá-la e adquiri-la os que dão esmolas; porque tudo que os homens deixarem no mundo perecerá, mas, a partir da caridade e das esmolas que tiverem feito, terão a vida eterna.

♦

II – Fragmentos de Hugo de Digne

[1][Por isso, dizia o santo desta maneira na Regra ainda não bulada:] Cuidem os irmãos e os ministros dos irmãos para não se intrometerem de maneira alguma nos negócios dele [a saber, do candidato].

[2][Antes que a Regra fosse bulada, o santo acrescentava:] E embora sejam chamados de hipócritas, não cessem de fazer o bem.

[3][Antes da bula, a Regra continha (algo) assim:] Em outros tempos, no entanto, de acordo com este modo de vida, não sejam obrigados a jejuar, a não ser na sexta-feira.

[4][... como o santo disse na Regra anterior:] Recordem-se – disse – os ministros de que lhes foi confiado o cuidado das almas dos irmãos, das quais terão que *prestar contas no dia do juízo* (Mt 12,36) diante do Senhor Jesus Cristo, se algum se tiver perdido por culpa sua e mau exemplo.

[5][Assim dizia o santo na Regra original:] Cuidem todos os irmãos, tanto os ministros como os demais, para não se perturbarem ou se irarem por causa do pecado ou do mau exemplo do outro, porque o demônio quer corromper a muitos por causa do pecado de um só; mas ajudem espiritualmente, como melhor puderem, aquele que pecou, porque *não são os sãos que precisam de médico, mas os enfermos* (cf. Mt 9,12; Mc 2,17).

[6][... segundo aquela palavra do Senhor que também São Francisco dizia aos irmãos:] *Os príncipes das nações as dominam, e os que são os maiores exercem poder sobre elas. Não será assim entre vós* (Mt 20,25-26).

[7][... assim o santo os exortava na Regra antes da bula:] *Através da caridade do espírito,* sirvam e obedeçam *uns aos outros* (Gl 5,13) de boa vontade. Esta é – diz – a verdadeira e segura obediência de Nosso Senhor Jesus Cristo.

[8][Por isso, assim se dizia na Regra anterior:] Os irmãos, em qualquer lugar em que estiverem, se não puderem observar espiritualmente a nossa vida, exponham-no ao seu ministro. O ministro, no entanto, procure de tal modo atendê-los como ele próprio gostaria que lhe fosse feito em caso semelhante.

[9][... ou segundo a primeira Regra, como foi dito:] Em qualquer lugar em que estiverem os irmãos...

[10][Por isso, a Regra anterior tinha:] Todos os irmãos, em quaisquer lugares em que estiverem em casa de outros, não sejam nem tesoureiros nem despenseiros nem tenham cargo de direção nas casas daqueles a quem servem; nem aceitem algum ofício que provoque escândalo ou que *cause dano à sua alma* (cf. Mc 8,36); mas sejam os menores e submissos a todos que estão nas mesmas casas.

[11][Na Regra anterior se dizia:] Os irmãos que sabem trabalhar trabalhem e exerçam a arte que conhecem, se não for contra a salvação da alma.

[12][E pouco depois:] *Cada um* permaneça naquela arte e ofício *em que estava quando foi chamado* (cf. 1Cor 7,24), segundo a disposição do ministro.

[13][Por isso, na Regra antes da bula assim ele colocava:] Os servos de Deus devem sempre persistir na oração ou em alguma boa obra.

[14][E estas palavras estavam na Regra antes da bula:] Cuidem os irmãos para não se apropriar de qualquer lugar ou coisa nem os reivindicar de ninguém.

[15][E novamente:] Onde quer que estejam e em qualquer lugar em que se encontrarem, devem os irmãos cuidar uns dos outros espiritual e diligentemente e honrar *uns aos outros sem murmuração* (1Pd 4,9). E cuidem para não se mostrar exteriormente tristes e sombriamente hipócritas; mas mostrem-se

alegres no Senhor (cf. Fl 4,4), sorridentes, agradáveis e convenientemente simpáticos.

[16][A respeito de dinheiro achado assim o santo dizia:] Se acharmos dinheiro, não nos preocupemos com ele mais do que com o pó que calcamos com os pés.

[17][Francisco] permitia que os irmãos pedissem esmola para os leprosos em grande necessidade, mas de tal modo que se precavessem muito contra o dinheiro. E, conquanto amasse os piedosos lugares em que os irmãos moravam ou se hospedavam, no entanto, não permitia que pedissem ou que mandassem pedir dinheiro para qualquer lugar ou que andassem com os que o pediam.

[18][O texto da primeira Regra assim continha:] Quando for necessário, vão os irmãos pedir esmola.

[19][Esta mesma coisa assim ele colocava de modo mais extenso na primeira Regra:] Quando for necessário, vão os irmãos pedir esmolas. E não se envergonhem e se recordem que Nosso Senhor Jesus *Cristo, Filho do Deus vivo* (Jo 11,27) e onipotente, *expôs* sua *face como pedra duríssima* (Is 50,7) e não se envergonhou. E Ele foi pobre e hóspede e viveu de esmolas, Ele e seus discípulos. E quando os homens lhes causarem vergonha e não lhes quiserem dar esmola, rendam por isso graças a Deus; porque pela vergonha receberão grande honra diante do tribunal de

Nosso Senhor Jesus Cristo. E saibam que a vergonha é imputada não aos que a sofrem, mas aos que a causam; e que a esmola é a herança e direito que se deve aos pobres, a qual Nosso Senhor Jesus Cristo conquistou para nós. E os irmãos que trabalham para adquiri-la terão grande recompensa e fazem lucrá-la e adquiri-la os que dão esmolas, porque tudo que os homens deixam no mundo perecerá, mas, a partir da caridade e das esmolas que fizeram, terão o prêmio da parte do Senhor.

[20][Assim dizia o santo na Regra anterior:] Com confiança, um manifeste ao outro a sua necessidade, para que lhe encontre e sirva as coisas necessárias.

[21][... na Regra antes da bula o santo assim admoestava:] Peço ao irmão enfermo que, rendendo por tudo graças ao Criador, da maneira como o Senhor o quer, assim deseje estar, são ou enfermo.

[22][E pouco depois:] Rogo a todos os meus irmãos que, nas enfermidades, não se irem nem se perturbem contra Deus ou contra os irmãos, nem exijam remédios muito insistentemente nem desejem muito libertar a carne, que depressa morrerá e que é inimiga da alma.

[23][Consideravam uma violação chamar o irmão de *imbecil ou de louco* (cf. Mt 5,22), à maneira de insulto, visto que a Regra anterior utilizava estas palavras do Evangelho.]

[24][Em seguida, o Evangelho ensina a não *porfiar*, a não pedir de volta, a *não resistir ao mau* (cf. Mt 5,39.40); a Regra antes da bula exprimia todas estas coisas especificamente; mas agora compreende tudo em termos concisos e gerais.]

[25][O santo dizia na primeira Regra, apresentando o duplo modo de conviver entre os que não creem:] Os irmãos podem de dois modos conviver espiritualmente entre eles. Um modo é que não litiguem nem porfiem, mas sejam submissos *a toda criatura humana por amor de Deus* (1Pd 2,13) e confessem que são cristãos. Outro modo é que, quando virem que agrada a Deus, anunciem a palavra de Deus, para que creiam em Deus Pai onipotente, em seu Filho e no Espírito Santo, Criador de todas as coisas, redentor e salvador de todos os fiéis, e para que sejam batizados e se tornem cristãos, pois só podem salvar-se os que forem batizados e são cristãos verdadeiros e espirituais, porque *não pode entrar no Reino de Deus, a não ser quem renascer da água e do Espírito Santo* (cf. Jo 3,5).

[26][E tendo intercalado certas coisas, acrescentava:] E recordem-se os irmãos que, por amor de Deus, se doaram e entregaram seus corpos ao Senhor Jesus Cristo. E por amor dele devem suportar tribulação, perseguição e morte, pois diz o Senhor: *Quem perder a sua vida por causa de mim salvá-la-á* (cf. Lc 9,24).

Eu, porém, vos digo, meus amigos, não temais aqueles que matam o corpo (Lc 12,4). *Se vos perseguirem em uma cidade, fugi para outra* (cf. Mt 10,23).

[27][... conforme o santo exortava na Regra anterior, dizendo:] Todos os irmãos preguem com as obras.

[28][O santo queria que, de modo excepcional, fosse prestada deferência às pessoas eclesiásticas. Por isso se dizia na regra anterior:] Consideremos todos os clérigos e todos os religiosos como senhores naquelas coisas que não se desviam da nossa Religião; e veneremos no Senhor a ordem e o ministério e o ofício deles.

[29][... para edificação e para elucidar o contexto maior (da Regra) na sua origem, recordo que ele (São Francisco) rezava para que fossem abençoados pelo Senhor todos os irmãos que ensinavam, aprendiam, perscrutavam e conservavam o teor e o espírito das coisas que foram escritas na mesma Regra.]

♦

III – Fragmentos em 2Cel

[1][Os ministros] sejam obrigados a *prestar contas no dia do juízo* (cf. Mt 12,36) diante de ti, Senhor, se algum irmão se perder ou por negligência ou pelo exemplo ou por correção áspera deles.

[2][... por ocasião de um Capítulo geral, mandou escrever estas palavras:] Cuidem os irmãos para não se mostrar exteriormente sombrios e tristes hipócritas;

mas mostrem-se *alegres no Senhor* (cf. Fl 4,4), sorridentes, agradáveis e convenientemente simpáticos.

[3][... inculcando com ousadia a *palavra da Regra*, pela qual deixa bastante claro que o dinheiro achado deve ser pisado como o pó.]

[4][Numa certa Regra, mandou escrever estas palavras:] Peço a todos os meus irmãos enfermos que, em suas enfermidades, não se irem nem se perturbem contra Deus ou contra os irmãos. Não exijam remédios muito insistentemente nem desejem muito libertar a carne, que depressa morrerá e que é inimiga da alma. Por tudo rendam graças ao Criador, de modo que, como Deus os quer, assim desejem estar. Porque todos aqueles que Deus *predestinou para a vida eterna* (cf. At 13,48), ensina-os por estímulos dos flagelos, como ele próprio disse: *Eu* corrijo e *castigo aqueles que amo* (Ap 3,19).

Louvores a serem ditos a todas as horas [canônicas]

Começam os louvores que nosso beatíssimo pai Francisco compôs e que dizia a todas as horas [canônicas] do dia e da noite e antes do ofício da Bem-aventurada Virgem Maria, começando assim: *Santíssimo Pai nosso que estais nos céus*, com o *Glória*. Em seguida, digam-se os louvores:

[1]*Santo, santo, santo é o Senhor Deus* (Is 6,3; Ap 4,8) *todo-poderoso, que é, que era e que virá* (cf. Ap 4,8):
E *louvemo-lo e superexaltemo-lo pelos séculos* (cf. Dn 3,57).
[2]*Vós sois digno, Senhor nosso Deus, de receber* o louvor, *a glória, a honra* (cf. Ap 4,11) e a bênção:
E *louvemo-lo e superexaltemo-lo pelos séculos* (cf. Dn 3,57).
[3]*Digno é o Cordeiro, que foi imolado, de receber a força e a divindade, a sabedoria e a fortaleza, a honra, a glória e a bênção* (Ap 5,12):
E *louvemo-lo e superexaltemo-lo pelos séculos* (cf. Dn 3,57).
[4]Bendigamos ao Pai e ao Filho com o Santo Espírito:
E *louvemo-lo e superexaltemo-lo pelos séculos* (cf. Dn 3,57).
[5]*Obras todas do Senhor, bendizei o Senhor* (Dn 3,57):
E *louvemo-lo e superexaltemo-lo pelos séculos* (Dn 3,57).
[6]*Louvai o nosso Deus, vós todos, os seus servos, e vós que temeis a Deus, pequenos e grandes* (cf. Ap 19,5):
E *louvemo-lo e superexaltemo-lo pelos séculos* (Dn 3,57).
[7]*Louvem-no* glorioso, *céus e terra* (cf. Sl 68,35):
E *louvemo-lo e superexaltemo-lo pelos séculos* (Dn 3,57).
[8]E toda criatura *que há no céu e sobre a terra*, que há debaixo da terra e no mar e *as que nele* existem (cf. Ap 5,13):
E *louvemo-lo e superexaltemo-lo pelos séculos* (Dn 3,57).
[9]Glória ao Pai e ao Filho e ao Espírito Santo:
E *louvemo-lo e superexaltemo-lo pelos séculos* (Dn 3,57).
[10]Como era no princípio agora e sempre e pelos séculos dos séculos. Amém.

E *louvemo-lo e superexaltemo-lo pelos séculos* (Dn 3,57). [11]Oração: Onipotente, santíssimo, altíssimo e sumo Deus, todo o bem, sumo bem, bem total, que *unicamente sois bom* (cf. Lc 18,19), nós vos rendemos todo louvor, toda *glória*, toda graça, toda *honra*, toda *bênção* (cf. Ap 5,12) e todos os bens. Assim seja. Assim seja. Amém.

Ofício da Paixão do Senhor

[Introdução]

Começam os salmos que nosso beatíssimo pai Francisco compôs em reverência, memória e louvor da Paixão do Senhor. Eles devem ser rezados em todas as horas do dia e da noite. E começam com as Completas da Sexta-feira da Paixão, visto que naquela noite Nosso Senhor Jesus Cristo foi traído e preso. E note-se que o bem-aventurado Francisco rezava este ofício do seguinte modo: primeiramente, rezava a oração que o Senhor e Mestre nos ensinou: *Santíssimo Pai nosso* etc., com os louvores: *Santo, santo, santo,* como está contido acima. Terminados os louvores com a oração, começava esta antífona: *Santa Maria.* Primeiro, rezava os salmos de Santa Maria; depois, rezava os outros salmos que escolhera e, no fim de todos os salmos que rezava, rezava os salmos da Paixão. Terminado o salmo, rezava esta antífona:

Santa Virgem Maria. Finda a antífona, terminava o ofício.

[Primeira parte: Para o sagrado tríduo da Semana Santa e para os dias feriais durante o ano]

Completas

Antífona: Santa Virgem Maria

Salmo [I]

1*Ó Deus, a Vós expus a minha vida, * colocastes minhas lágrimas na vossa presença* (Sl 55,8b-9).

2*Todos os meus inimigos tramaram males contra mim* (Sl 40,8a; R)[12] * *e se reuniram em conluio* (cf. Sl 70,10c; G).

3*E* diante de vós *armaram males contra mim, * e ódio em troca de meu amor* (cf. Sl 108,5).

4*Em vez de me amarem, eles me acusavam, * eu, porém, orava* (Sl 108,4).

5Meu *Pai santo* (Jo 17,11), rei *do céu e da terra* (Mt 11,25), *não vos afasteis de mim, * porque a tribulação está próxima, e não há quem me socorra* (Sl 21,12; R).

6*Retrocedam meus inimigos * todos os dias em que eu vos invocar, eis que reconheci que sois o meu Deus* (Sl 55,10; cf. R).

7*Meus amigos e companheiros aproximaram-se e postaram-se diante de mim, * e os meus vizinhos mantiveram-se à distância* (Sl 37,12; R).

[8]*Afastastes para longe de mim os meus conhecidos, * eles me consideraram como abominação para eles, fui aprisionado e eu não tinha saída* (Sl 87,9; cf. R).
[9]*Pai santo* (Jo 17,11), *não afasteis o vosso auxílio para longe de mim* (Sl 21,20), * *meu Deus, voltai o olhar em meu auxílio* (cf. Sl 70,12).
[10]*Vinde em meu auxílio, * Senhor Deus de minha salvação* (Sl 37,23).

Glória ao Pai e ao Filho e ao Espírito Santo: assim como era no princípio, agora e sempre e pelos séculos dos séculos. Amém.

Antífona: Santa Virgem Maria, entre as mulheres do mundo, não nasceu nenhuma semelhante a ti, ó filha e serva do altíssimo e sumo Rei e Pai celeste, mãe de nosso santíssimo Senhor Jesus Cristo, esposa do Espírito Santo: roga por nós, com São Miguel Arcanjo e com todas as virtudes dos céus e com todos os santos, junto a teu santíssimo e dileto Filho, Senhor e Mestre. Glória ao Pai... Assim como era...

Nota que esta antífona acima se reza em todas as horas; e reza-se como antífona, capítulo, hino, versículo e oração, tanto nas Matinas como igualmente em todas as horas. Nada mais rezava, a não ser esta antífona com seus salmos. Como conclusão do ofício, o bem-aventurado Francisco sempre rezava:

Bendigamos o Senhor *Deus vivo e verdadeiro* (1Ts 1,9); rendamos-lhe sempre louvor, *glória, honra e bênção* (cf. Ap 4,9) e todos os bens. Amém. Amém. Assim seja. Assim seja.

Matinas

Antífona: Santa Virgem Maria

Salmo [II]

[1]*Senhor Deus de minha salvação, * diante de Vós clamei, de dia e de noite* (Sl 87,2).

[2]*Que a minha oração chegue à vossa presença, * inclinai vosso ouvido à minha prece* (Sl 87,3).

[3]*Vinde para perto de minha alma e libertai-a, * livrai-me dos meus inimigos* (Sl 68,19).

[4]*Pois fostes vós que me tirastes do ventre [materno], sois Vós minha esperança desde o seio de minha mãe, * desde o útero fui entregue a Vós* (Sl 21,10).

[5]*Vós sois o meu Deus desde o ventre de minha mãe, * não vos afasteis de mim* (Sl 21,11).

[6]*Vós conheceis a minha desonra e minha vergonha * e [também] a minha reverência* (Sl 68,20).

[7]*Em vossa presença estão todos os que me causam tribulações, *meu coração esperava desonra e miséria* (Sl 68,21a-b).

[8]*Esperei quem comigo se contristasse, e não houve, * e não encontrei quem me consolasse* (Sl 68,21c-d).

[9]*Ó Deus, iníquos ergueram-se contra mim, * e um bando de poderosos esteve à procura de minha alma e não vos colocaram diante de seus olhos* (Sl 85,14).
[10]*Fui contado com os que descem à cova, * tornei-me um homem sem auxílio, solitário entre os mortos* (Sl 87,5-6a).
[11]Vós sois meu Pai Santíssimo, * *meu Rei e meu Deus* (cf. Sl 43,5a).
[12]*Vinde em meu auxílio, * Senhor Deus de minha salvação* (Sl 37,23).

Prima

Antífona: Santa Virgem Maria

Salmo [III]
[1]*Tende piedade de mim, ó Deus, tende piedade de mim, * pois a minha alma confia em Vós* (Sl 56,2a).
[2]*Esperarei à sombra das vossas asas * até que passe a iniquidade* (Sl 56,2b).
[3]*Clamarei ao* meu santíssimo pai, *altíssimo * Senhor que me fez o bem* (Sl 56,3).
[4]*Enviou [a salvação] do céu e libertou-me, * entregou à desonra os que me calcavam com os pés* (Sl 56,4a-b).
[5]*Deus enviou sua misericórdia e sua verdade, * arrancou a minha alma* (Sl 56,4c-5a; R) *dos meus fortíssimos inimigos e dos que me odeiam, pois se tornaram mais fortes do que eu* (Sl 17,18).

[6]*Prepararam um laço aos meus pés * e rebaixaram minha alma* (Sl 56,7a-b).
[7]*Cavaram uma fossa diante de mim * e caíram nela* (Sl 56,7c-d).
[8]*Preparado está meu coração, meu Deus, preparado está meu coração, * cantarei e salmodiarei* (Sl 56,8).
[9]*Levanta-te, minha glória, levantai-vos, saltério e cítara, * levantar-me-ei ao romper do dia* (Sl 56,9).
[10]*Confessar-vos-ei entre os povos, Senhor, * e salmodiarei a Vós entre as nações* (Sl 56,10).
[11]*Porque engrandecida foi a vossa misericórdia até aos céus * e a vossa verdade até às nuvens* (Sl 56,11).
[12]*Ó Deus, exaltai-vos acima dos céus, * e vossa glória sobre toda a terra* (Sl 56,12).

Note-se: este salmo anterior sempre é rezado na Prima.

Terça

Antífona: Santa Virgem Maria

Salmo [IV]
[1]*Tende piedade de mim, ó Deus, pois o homem me calcou com os pés, * me afligiu e combateu todo o dia* (Sl 55,2).
[2]*Todo o dia, meus inimigos me calcaram com os pés, * pois muitos eram os que combatiam contra mim* (Sl 55,3).
[3]*Todos os meus inimigos tramavam males contra mim, **

contra mim proferiram palavras de iniquidade (Sl 40,8b-9a; cf.R).

[4]*Os que vigiavam a minha alma * se reuniram em conluio* (Sl 70,10b).

[5]*Saíam pelas ruas * e conversavam* (Sl 40,7) *sobre isso* (Sl 40,8).

[6]*Todos os que me viam zombaram de mim, * cochicharam com seus lábios e menearam a cabeça* (Sl 21,8).

[7]*Eu, porém, sou um verme e não homem, * o opróbrio dos homens e a abjeção da plebe* (Sl 21,7).

[8]*Tornei-me o opróbrio para meus vizinhos, muito mais do que todos os meus inimigos, * e temor para os meus conhecidos* (Sl 30,12a-b).

[9]*Pai santo* (Jo 17,11), *não deixeis longe de mim o vosso auxílio, * cuidai da minha defesa* (Sl 21,20).

[10]*Vinde em meu auxílio, * Senhor Deus de minha salvação* (Sl 37,23).

Sexta

Antífona: Santa Virgem Maria

Salmo [V]

[1]*Com minha voz clamei ao Senhor, * com minha voz ao Senhor supliquei* (Sl 141,2).

[2]*Na presença dele, derramo a minha oração, * e diante dele exponho minha aflição* (Sl 141,3).

[3]*Ao desfalecer em mim o espírito, * vós conhecestes as minhas veredas* (Sl 141,4a-b).

[4]*No caminho pelo qual eu andava * os soberbos esconderam-me um laço* (Sl 141,4c-d; cf. R).

[5]*Eu olhava à direita e observava, * e não havia quem me conhecesse* (Sl 141,5a-b).

[6]*Não tenho para onde fugir, * e não há quem se preocupe com minha alma* (Sl 141,5c-d).

[7]*Pois por vós suportei o insulto, * a vergonha cobriu minha face* (Sl 68,8).

[8]*Para meus irmãos tornei-me um estranho * e um peregrino para os filhos de minha mãe* (Sl 68,9).

[9]*Pai santo* (Jo 17,11), *o zelo de vossa casa me devorou * e os insultos dos que me ultrajavam caíram sobre mim* (Sl 68,10).

[10]*Contra mim se alegraram e se juntaram, * concentraram-se flagelos sobre mim, e ignorei-os* (Sl 34,15).

[11]*Tornaram-se mais numerosos do que os cabelos de minha cabeça * os que me odiaram sem razão* (Sl 68,5a-b).

[12]*Meus inimigos que me perseguiram injustamente ficaram fortalecidos, * então eu pagava o que não roubei* (Sl 68,5c-d).

[13]*Surgindo testemunhas iníquas, * perguntavam-me o que ignoravam* (Sl 34,11).

[14]*Retribuíam-me o mal pelo bem* (Sl 34,12a) *e difamavam-me, * porque eu procurava a bondade* (Sl 37,21).

[15]*Vós sois* meu Pai santíssimo, * *meu Rei e meu Deus* (cf. Sl 43,5a).

[16]*Vinde em meu auxílio, * Senhor Deus de minha salvação* (Sl 37,23).

Noa

Antífona: Santa Virgem Maria

Salmo [VI]

[1]*Ó vós todos que passais pelo caminho, * considerai e vede se há dor semelhante à minha dor* (Lm 1,12a-b).

[2]*Pois rodearam-me cães numerosos, * cercou-me um bando de malfeitores* (Sl 21,17).

[3]*Eles, porém, me olharam e espionaram, * repartiram entre si minhas vestes e sobre a minha túnica lançaram sorte* (Sl 21,18b-19).

[4]*Traspassaram-me as mãos e os pés, * contaram todos os meus ossos* (Sl 21,17c-18a; R).

[5]*Abriram contra mim suas fauces, * como leão que arrebata e que ruge* (Sl 21,14).

[6]*Como água eu fui derramado, * e desconjuntados foram todos os meus ossos* (Sl 21,15a-b).

[7]*E meu coração tornou-se como cera * a derreter-se nas minhas entranhas* (Sl 21,15c; R).

[8]*Meu vigor ressecou-se como barro queimado, * e minha língua se me colou ao palato* (Sl 21,16a-b).

[9]*E por comida deram-me fel, * e na minha sede fizeram-me beber vinagre* (Sl 68,22).

[10]*Reduziram-me ao pó da morte* (cf. Sl 21,16c) * *e aumentaram a dor das minhas feridas* (Sl 68,27b).

[11]*Eu dormi e ressuscitei* (Sl 3,6; R), * *e* meu Pai santíssimo *me* recebeu *com glória* (cf. Sl 72,24c).

[12]*Pai santo* (Jo 17,11), *tomastes minha mão direita e em vossa vontade me conduzistes * e me acolhestes com glória* (Sl 72,24; R).

[13]*Pois, o que é que eu tenho no céu? * E na terra, o que desejei de Vós?* (Sl 72,25).

[14]Vede, *vede que Eu sou Deus,* diz o Senhor, * *serei exaltado entre as nações, serei exaltado na terra* (cf. Sl 45,11).

[15]*Bendito o Senhor Deus de Israel* (Lc 1,68a), *que remiu as almas de seus servos* (Sl 33,23) *com seu próprio sangue* santíssimo (cf. Ap 5,9) * *e não abandonará nenhum dos que nele esperam* (Sl 33,23; R).

[16]E sabemos que *Ele vem,* * *que Ele vem para julgar* a justiça (cf. Sl 95,13b; R).

Vésperas

Antífona: Santa Virgem Maria

Salmo [VII]

[1]*Nações todas, batei palmas, * aclamai a Deus com gritos de exultação* (Sl 46,2).

[2]*Pois o Senhor é excelso, * grande e terrível Rei sobre toda a terra* (Sl 46,3).

[3]Pois o santíssimo Pai do céu, *nosso Rei antes dos séculos* (Sl 73,12), * *enviou* do alto *seu* dileto *Filho* (cf. 1Jo 4,9) e *operou a salvação no meio da terra* (Sl 73,12).
[4]*Alegrem-se os céus, e exulte a terra, comovam-se os mares e tudo o que eles encerram, * regozijar-se-ão os campos e tudo o que neles existe* (Sl 95,11-12a).
[5]*Cantai-lhe um cântico novo, * canta ao Senhor, ó terra inteira* (Sl 95,1).
[6]*Porque o Senhor é grande e muito digno de louvor, * é mais terrível do que todos os deuses* (Sl 95,4).
[7]*Dai ao Senhor, ó famílias das nações, dai ao Senhor glória e honra, * dai ao Senhor a glória de seu nome* (Sl 95,7-8a).
[8]Erguei vossos corpos e *carregai* sua santa *cruz* (cf. Lc 14,27; Jo 19,17) * e *segui seus* santíssimos mandamentos até ao fim (cf. Lc 14,27; 1Pd 2,21).
[9]*Trema diante dele a terra inteira, * dizei entre as nações que o Senhor reinou* da cruz (Sl 95,9b-10a; G/R).

Até aqui se reza cada dia, desde a Sexta-feira Santa até a festa da Ascensão. Mas na festa da Ascensão acrescentam-se estes versículos:

[10]E subiu aos céus e está sentado à direita do santíssimo Pai do céu, *exaltai-vos acima dos céus, ó Deus, * e acima de toda a terra a vossa glória* (Sl 56,12).

[11]E sabemos que *Ele vem,* * que *Ele virá para julgar* (cf. Sl 95,13) a justiça.

E note-se que desde a Ascensão até o Advento do Senhor se reza este salmo cada dia do mesmo modo, a saber, *Nações todas* com os referidos versículos, rezando *Glória ao Pai*, onde termina o salmo, a saber, *que Ele virá para julgar a justiça*. Note-se que estes referidos salmos se rezam desde a Sexta-feira Santa até ao Domingo da Ressurreição. Do mesmo modo, rezam-se desde a oitava de Pentecostes até ao Advento do Senhor e desde a Epifania até ao Domingo da Ressurreição, exceto nos domingos e nas férias principais, nos quais não se rezam; mas, nos outros dias, se rezam diariamente.

♦

[Segunda parte: Para o Tempo Pascal]

No Sábado Santo, isto é, terminado o dia de Sábado:

Completas

Antífona: Santa Virgem Maria

Salmo [VIII]

[1]*Deus, vinde em meu auxílio, * Senhor, apressai-vos em socorrer-me* (Sl 69,2).

[2]*Sejam confundidos e humilhados * os que procuram a minha alma* (Sl 69,3).

[3]*Afastem-se envergonhados * os que me desejam o mal* (Sl 69,4).

[4]*Afastem-se cheios de vergonha, * os que me dizem: Muito bem! Muito bem!* (Sl 69,4).

[5]*Exultem e alegrem-se em Vós os que vos buscam, * e digam sempre os que amam vossa salvação: Glorificado seja o Senhor* (Sl 69,5).

[6]*Eu, porém, sou indigente e pobre, * ó Deus, ajudai-me* (Sl 69,6).

[7]*Vós sois meu auxílio e libertador, * Senhor, não tardeis* (Sl 69,7).

Matinas do Domingo da Ressurreição

Antífona: Santa Virgem Maria

Salmo [IX]

[1]*Cantai ao Senhor um cântico novo, * porque Ele fez maravilhas* (Sl 97,1a-b).

[2]*Sua mão direita e seu santo braço* (cf. Sl 97,1c-d) * sacrificaram seu dileto Filho.

[3]*O Senhor deu a conhecer a sua salvação, * diante das nações revelou sua justiça* (Sl 97,2).

[4]*Naquele dia, o Senhor enviou sua misericórdia * e de noite seu cântico* (Sl 41,9a-b).

[5]*Este é o dia que o Senhor fez, * exultemos e alegremo-nos nele* (Sl 117,24).

[6]*Bendito o que vem em nome do Senhor, * o Senhor Deus nos iluminou* (Sl 117,26a-27a).

[7]*Alegrem-se os céus, e exulte a terra, comovam-se os mares e tudo o que eles encerram, * regozijar-se-ão os campos e tudo o que neles existe* (Sl 95,11-12a).
[8]*Dai ao Senhor, ó famílias das nações, dai ao Senhor glória e honra * dai ao Senhor a glória de seu nome* (Sl 95,7-8a).

Até aqui se reza desde o Domingo da Ressurreição até à festa da Ascensão diariamente em todas as horas, exceto nas Vésperas, nas Completas e na Prima. Mas, na noite da Ascensão, acrescentam-se estes versículos:

[9]*Reinos da terra, cantai para Deus, * salmodiai ao Senhor* (Sl 67,33a).
[10]*Salmodiai a Deus que se eleva acima dos céus * em direção ao [sol] nascente* (Sl 67,33b-34a).
[11]*Eis que Ele dará força à sua voz, dai glória a Deus, sobre Israel, * sua magnificência e sua força estão nas nuvens* (Sl 67,34b-35).
[12]*Admirável é Deus em seus santos, * o próprio Deus de Israel dará força e poder a seu povo, bendito seja Deus* (Sl 67,36). Glória...

E note-se que este salmo se reza cada dia desde a Ascensão do Senhor até à oitava de Pentecostes com os supraditos versículos nas Matinas, na Terça, na Sexta e na Noa, rezando aí *Glória ao Pai* onde se reza *Bendito seja Deus*, e não em outro lugar. Note-se igualmente que do mesmo modo se reza unicamente nas Matinas nos domingos e nas festas principais desde a oitava de Pentecostes até o Advento do Senhor, e desde a oitava da Epifania até a Quinta-feira Santa da Ceia do Senhor, porque neste dia o Senhor comeu a Páscoa com seus discípulos; quando se quiser, pode ser rezado outro salmo nas Matinas ou nas Vésperas, a saber, *Eu vos exaltarei, Senhor,* etc. [Sl 29], como se encontra no Saltério; e isto desde o Domingo da Ressurreição até à festa da Ascensão, e não mais.

Prima

Antífona: Santa Virgem Maria

Salmo: Tende piedade de mim, ó Deus, tende piedade de mim [Sl III], *como acima.*

Terça, Sexta e Noa

Reza-se o Salmo: Cantai [Sl IX], *como acima.*

Vésperas

Salmo: Nações todas [Sl VII], *como acima.*

[Terceira parte: Para os domingos e festividades principais]

Começam outros salmos que nosso beatíssimo pai Francisco compôs, os quais devem ser rezados no lugar dos supraditos salmos da Paixão do Senhor nos domingos e nas festividades principais desde a oitava de Pentecostes até ao Advento e desde a oitava da Epifania até à Quinta-feira Santa da Ceia do Senhor; entenda-se corretamente, que é para serem rezados no próprio dia, pois é Páscoa do Senhor.

Completas

Antífona: Santa Virgem Maria

Salmo: Deus, vinde em meu auxílio [Sl VIII], *como se encontra no saltério.*

Matinas

Antífona: Santa Virgem Maria

Salmo: Cantai [Sl IX], *como acima.*

Prima

Antífona: Santa Virgem Maria

Salmo: Tende piedade de mim, ó Deus, tende piedade de mim [Sl III], *como acima.*

Terça

Antífona: Santa Virgem Maria

Salmo [X]

[1]*Aclamai ao Senhor, terra inteira, salmodiai ao seu nome, * dai-lhe glória com louvor* (Sl 65,1-2).

[2]*Dizei a Deus: quão terríveis são as vossas obras, Senhor; * quanto à grandeza de vossa força, os vossos inimigos se enganam ao dizê-la* (Sl 65,3).

[3]*Toda a terra vos adore e salmodie para vós, * diga salmos ao vosso nome* (Sl 65,4).

[4]*Vós todos que temeis a Deus, vinde, ouvi, e eu narrarei * quantas coisas Ele fez à minha alma* (Sl 65,16).

[5]*Clamei a Ele com minha boca * e exaltei-o com a minha língua* (Sl 65,17; R).

[6]*E de seu templo santo Ele ouviu a minha voz, * e meu clamor chegou à sua presença* (Sl 17,7c-d).

[7]*Nações, bendizei o nosso* Senhor * *e fazei ressoar a voz para seu louvor* (Sl 65,8).

[8]*E nele sejam abençoadas todas as tribos da terra, * todas as nações hão de engrandecê-lo* (Sl 71,17c-d).

[9]*Bendito o Senhor Deus de Israel, * o único que faz grandes maravilhas* (Sl 71,18; R).

[10]*E bendito seja eternamente seu nome de majestade, * e toda a terra estará repleta de sua majestade, assim seja, assim seja* (Sl 71,19).

Sexta

Antífona: Santa Virgem Maria

Salmo [XI]

[1]*Ouça-te o Senhor no dia da tribulação, * proteja-te o nome do Deus de Jacó* (Sl 19,2).

[2]*Do santuário Ele te envie o auxílio * e de Sião te proteja* (Sl 19,3).

[3]*Lembre-se de todo o teu sacrifício, * e teu holocausto se torne aceito* (Sl 19,4).

[4]*Retribua-te conforme o teu coração * e confirme todo o teu projeto* (Sl 19,5).

[5]*Alegrar-nos-emos em vossa salvação * e seremos engrandecidos no nome do Senhor nosso Deus* (Sl 19,6; R).

[6]*O Senhor realize todos os teus pedidos; agora sei* (Sl 19,7a-b) que o Senhor *enviou seu Filho* (cf. 1Jo 4,9) Jesus Cristo * *e julgará os povos na justiça* (Sl 9,9b).

[7]*E o Senhor se tornou um refúgio para os pobres, auxílio oportuno nos tempos da tribulação, * e esperem em Vós os que conhecem o vosso nome* (Sl 9,10-11a; R).

[8]*Bendito seja o Senhor meu Deus* (Sl 143,1b), *pois se tornou meu defensor e refúgio * no dia de minha tribulação* (Sl 58,17c-d).

[9]*A vós salmodiarei, ó meu auxílio, pois sois o Deus que me acolhe, * meu Deus, minha misericórdia* (Sl 58,18).

Antífona: Santa Virgem Maria

Salmo [XII]

[1]*Esperei em vós, Senhor, que eu não seja envergonhado para sempre, * em vossa justiça libertai-me e arrebatai-me* (Sl 70,1-2a).

[2]*Inclinai vosso ouvido para mim * e salvai-me* (Sl 70,2b).

[3]*Sede para mim um Deus protetor e uma fortaleza * para me salvardes* (Sl 70,3a-b).

[4]*Pois vós, Senhor, sois minha segurança, * Senhor, sois minha esperança desde a juventude* (Sl 70,5).

[5]*Em Vós, fui confirmado desde o útero, desde o ventre de minha mãe sois meu protetor, * em vós a minha louvação para sempre* (Sl 70,6).

[6]*Encha-se minha boca de louvor, para que eu cante vossa glória * e, todo o dia, a vossa grandeza* (Sl 70,8).

[7]*Atendei-me, Senhor, pois vossa misericórdia é benigna, * olhai para mim segundo a grandeza de vossa comiseração* (Sl 68,17).

[8]*E não desvieis de vosso servo a vossa face, * pois estou aflito, atendei-me sem demora* (Sl 68,18).

[9]*Bendito seja o Senhor meu Deus* (Sl 143,1b), *pois se tornou meu defensor e meu refúgio, * no dia de minha tribulação* (Sl 58,17c-d).

[10]*A Vós salmodiarei, ó meu auxílio, pois sois o Deus que me acolhe, * meu Deus, minha misericórdia* (Sl 58,18).

Vésperas

Antífona: Santa Virgem Maria

Salmo: Nações todas [Salmo VII], *como acima.*

[Quarta parte: Para o tempo do Advento do Senhor]

Começam outros salmos que igualmente compôs nosso beatíssimo pai Francisco, os quais devem ser rezados no lugar dos supraditos salmos da Paixão do Senhor a partir do Advento do Senhor até à Vigília do Natal, e não mais.

Completas

Antífona: Santa Virgem Maria

Salmo [XIII]
[1]*Até quando, Senhor? Esquecer-me-eis para sempre? * Até quando desviareis de mim vossa face*? (Sl 12,1).
[2]*Por quanto tempo encherei de preocupações a minha alma * e de dor o meu coração durante todo o dia*? (Sl 12,2).
[3]*Até quando será exaltado sobre mim meu inimigo?* (Sl 12,3). * *Olhai-me e ouvi-me, Senhor, meu Deus*? (Sl 12,4).
[4]*Iluminai os meus olhos, para que eu jamais adormeça na morte* (Sl 12,4b), * *para que nunca o inimigo diga: prevaleci sobre ele* (Sl 12,5a).

[5]*Os que me afligem exultarão, se eu for derrubado* (Sl 12,5b), * *eu, porém, esperei em vossa misericórdia* (Sl 12,6a).
[6]*Exultará meu coração em vossa salvação; cantarei ao Senhor pelos bens que me concedeu * e salmodiarei ao nome do Senhor altíssimo* (Sl 12,6).

Matinas

Antífona: Santa Virgem Maria

Salmo [XIV]
[1]*Confessar-vos-ei, Senhor* (Is 12,1), Pai santíssimo, Rei *do céu e da terra* (cf. Mt 11,25), * *porque me consolastes* (Is 12,1).
[2]*Vós sois o Deus meu salvador, * agirei com confiança e não temerei* (Is 12,2a-b).
[3]*O Senhor é minha fortaleza e meu louvor * e tornou-se para mim a salvação* (Is 12,2c; Ex 15,2).
[4]*A vossa destra, Senhor, foi engrandecida em fortaleza, a vossa destra, Senhor, golpeou o inimigo* (Ex 15,6), * *e na grandeza de vossa glória abatestes meus adversários* (Ex 15,6-7a).
[5]*Vejam os pobres e se alegrem; * buscai a Deus, e a vossa alma viverá* (Sl 68,33).
[6]*Louvem-no céus e terra, * o mar e todos os répteis que neles existem* (Sl 68,35).
[7]*Pois Deus salvará Sião, * e serão edificadas as cidades de Judá* (Sl 68,36a-b; R).
[8]*E aí habitarão * e hão de adquiri-la em herança* (Sl 68,36c).

[9]*E a estirpe de seus servos a possuirá, * e nela habitarão os que amam o seu nome* (Sl 68,37).

Prima

Antífona: Santa Virgem Maria

Salmo: Tende piedade de mim, ó Deus, tende piedade de mim [Salmo III], *como acima.*

Terça

Antífona: Santa Virgem Maria

Salmo: Aclamai ao Senhor [Salmo X], *como acima.*

Sexta

Antífona: Santa Virgem Maria

Salmo: Ouça-te o Senhor [Salmo XI], *como acima.*

Noa

Antífona: Santa Virgem Maria

Salmo: Esperei em vós, Senhor [Salmo XII], *como acima.*

Vésperas

Antífona: Santa Virgem Maria

Salmo: Nações todas [Salmo VII], *como acima*.

Note-se também que não se reza todo o salmo, mas até o verso *Trema diante dele a terra inteira*; entenda-se corretamente, que é para rezar todo o verso: *Erguei vossos corpos*. Terminado este verso, reza-se aí: *Glória ao pai*, e assim se reza nas Vésperas cada dia, desde o Advento até à Vigília do Natal.

♦

[Quinta parte: No tempo do Natal do Senhor até a oitava da Epifania]

Vésperas do Natal do Senhor

Antífona: Santa Virgem Maria

Salmo [XV]

[1]*Exultai no Senhor, nosso auxílio* (Sl 80,2a), * *com voz de exultação aclamai* (Sl 46,2b) ao Senhor Deus vivo e verdadeiro.

[2]*Pois o Senhor é excelso, terrível*, * *grande Rei sobre toda a terra* (Sl 46,3).

[3]Pois o santíssimo Pai do céu, *nosso Rei antes dos séculos* (Sl 73,12a), *enviou* do alto *seu* dileto *Filho* (cf. 1Jo 4,9) * e [este] nasceu da Bem-aventurada Virgem Santa Maria.

[4]*Ele me invocou: Tu és o meu Pai* (Sl 88,27a), * *e eu o constituirei como primogênito, excelso dentre os reis da terra* (Sl 88,28).

[5]*Naquele dia, o Senhor enviou sua misericórdia * e de noite seu cântico* (Sl 41,9a-b).

[6]*Este é o dia que o Senhor fez, * exultemos e alegremo-nos nele* (Sl 117,24).

[7]Porque um Menino santíssimo e dileto *nos foi dado e nasceu por nós* (cf. Is 9,6) no caminho[13] *e foi colocado no presépio* (cf. Lc 2,12), * *porque Ele não* tinha *um lugar na hospedaria* (cf. Lc 2,7).

[8]*Glória ao* Senhor *Deus nas alturas, * e na terra paz aos homens de boa vontade* (cf. Lc 2,14).

[9]*Alegrem-se os céus, e exulte a terra, comovam-se os mares e tudo o que eles encerram, * regozijar-se-ão os campos e tudo o que neles existe* (Sl 95,11-12a).

[10]*Cantai-lhe um cântico novo, * cantai ao Senhor, ó terra inteira* (Sl 95,1).

[11]*Porque o Senhor é grande e muito digno de louvor, * é mais terrível do que todos os deuses* (Sl 95,4).

[12]*Dai ao Senhor, ó famílias das nações, dai ao Senhor glória e honra * dai ao Senhor a glória de seu nome* (Sl 95,7-8a).

[13]Erguei *vossos corpos* (cf. Rm 12,1) e *carregai* sua santa *cruz* (cf. Lc 14,27; Jo 19,17) * e *segui seus* santíssimos mandamentos até ao fim (cf. 1Pd 2,21).

Note-se que este salmo é rezado desde o Natal do Senhor até à oitava da Epifania em todas as horas. Se alguém quiser rezar este ofício do bem-aventurado Francisco, reze-o assim: primeiramente, reze o *Pai-nosso* com os louvores, a saber, *Santo, santo, santo.* Terminados os louvores com a oração, como acima, começa-se a antífona: *Santa Virgem Maria* com o salmo que foi composto para cada hora do dia e da noite. E reze-se com grande reverência.

Oração diante do Crucifixo

Altíssimo, glorioso Deus, iluminai as trevas do meu coração, dai-me uma fé reta, uma esperança certa e caridade perfeita, sensibilidade e conhecimento, ó Senhor, a fim de que eu cumpra o vosso santo e veraz mandamento.

Regra Bulada

[1]Honório, bispo, servo dos servos de Deus, aos diletos filhos Frei Francisco e demais irmãos da Or-

dem dos Frades Menores, saudação e bênção apostólica. [2]Costuma a Sé Apostólica anuir aos piedosos votos e deferir os desejos honestos dos que lhe imploram benévolo favor. [3]Por este motivo, diletos filhos no Senhor, propício aos vossos rogos, confirmamos, com autoridade apostólica, a Regra de vossa Ordem aprovada pelo nosso predecessor, o Papa Inocêncio, de saudosa memória, registrada nas presentes letras, e a munimos com a proteção do presente escrito. [4]Ela é assim:]

[Capítulo I]

[1]*Em nome do Senhor!*
Começa a vida dos Frades menores:

[2]A Regra e vida dos frades menores é esta: observar o santo Evangelho de Nosso Senhor Jesus Cristo, vivendo em obediência, sem propriedade e em castidade. [3]Frei Francisco promete obediência e reverência ao senhor Papa Honório e a seus sucessores canonicamente eleitos e à Igreja Romana. [4]E os demais irmãos estejam obrigados a obedecer a Frei Francisco e a seus sucessores.

♦

[Capítulo II]

[1]*Os que querem assumir esta vida e como devem ser recebidos*

[2]Aqueles que quiserem assumir esta vida e vierem procurar nossos irmãos, estes os enviem aos

seus ministros provinciais, aos quais unicamente, e não a outros, seja concedida a licença de receber irmãos. [3]Os ministros, no entanto, examinem-nos diligentemente sobre a fé católica e sobre os sacramentos da Igreja. [4]E se crerem em todas estas coisas e quiserem fielmente professá-las e firmemente observá-las até ao fim, [5]caso não tenham esposas ou, se tiverem, as esposas já tiverem entrado em mosteiro ou, tendo já emitido o voto de continência, lhes tiverem dado a licença com a autorização do bispo diocesano, e as esposas sejam de tal idade que não possa destas coisas nascer suspeita, [6]digam-lhes a palavra do Santo Evangelho que *vão* e *vendam* todos os seus bens e procurem *distribuí-los aos pobres* (cf. Mt 19,21 par.). [7]Se não puderem realizar isto, basta-lhes a boa vontade. [8]E cuidem os irmãos e seus ministros para não se preocupar com as coisas temporais deles, de modo que eles livremente façam de suas coisas o que o Senhor lhes inspirar. [9]Se, porém, for pedido algum conselho, tenham os ministros a licença de enviá-los a algumas pessoas tementes a Deus, a cujo conselho distribuam seus bens aos pobres. [10]Depois disto, concedam-lhes as vestes de provação, a saber, duas túnicas sem capuz e o cíngulo, calções e o caparão [que vá] até ao cíngulo, [11]a não ser que, uma ou outra vez, aos mesmos ministros outra coisa pareça melhor segundo Deus. [12]E terminado o ano de provação, sejam recebidos à obediência, prometendo observar sempre esta vida e regra. [13]E, segundo a prescrição do senhor papa, não lhes será permitido de modo algum sair desta Religião, [14]porque, segundo o Santo Evangelho, *ninguém que coloca a mão no arado e olha para trás é apto para o Reino de Deus* (cf. Lc 9,62). [15]E os que já prometeram obediência tenham uma túnica com capuz e, aqueles que o quiserem, outra sem capuz. [16]E os que são premidos pela necessidade possam usar calçados. [17]E todos os irmãos se vistam com vestes baratas e possam, com a bênção de Deus, remendá-las de sacos e outros retalhos. [18]Eu os admoesto e exorto a que não desprezem nem julguem os homens que virem vestir roupas macias e coloridas e usar comidas e bebidas finas, mas cada qual julgue e despreze antes a si mesmo.

♦

[Capítulo III]

[1]*O ofício divino e o jejum e como devem os irmãos ir pelo mundo*

[2]Os clérigos rezem o ofício divino conforme o diretório da santa Igreja Romana, com exceção do saltério[14]; [3]por isso, poderão ter breviários. [4]Os leigos, no entanto, digam vinte e quatro *Pai-nossos* (cf. Mt 6,9-13) pelas Matinas, cinco pelas Laudes; pela Prima, pela Terça, pela Sexta e pela Noa, em cada

uma delas sete; pelas Vésperas doze e pelas Completas sete; [5]e rezem pelos defuntos. [6]E jejuem desde a festa de Todos os Santos até ao Natal do Senhor. [7]A santa quaresma, porém, que começa com a Epifania e se prolonga por *quarenta dias* (cf.Mt 4,2), a qual o Senhor consagrou com seu santo jejum, os que nela jejuarem voluntariamente sejam abençoados pelo Senhor, e os que não o quiserem não sejam obrigados. [8]Jejuem, porém, na outra [que se estende] até à Ressurreição do Senhor. [9]Em outros tempos, não sejam obrigados a jejuar, a não ser na sexta-feira. [10]No entanto, em tempo de manifesta necessidade, os irmãos não sejam obrigados ao jejum corporal. [11]Aconselho, todavia, admoesto e exorto a meus irmãos no Senhor Jesus Cristo que, quando vão pelo mundo, não discutam nem *alterquem com palavras* (cf. 2Tm 2,14) nem julguem os outros; [12]mas sejam mansos, pacíficos e modestos, brandos e humildes, falando a todos honestamente, como convém. [13]E não devem andar a cavalo, a não ser que sejam obrigados por manifesta necessidade ou por enfermidade. [14]*Em qualquer casa em que entrarem*, digam *primeiramente*: *Paz a esta casa* (cf. Lc 10,5). [15]E, segundo o santo Evangelho, seja-lhes permitido *comer* de todos os alimentos *que forem colocados diante deles* (cf. Lc 10,8).

♦

[Capítulo IV]

[1]*Que os irmãos não recebam dinheiro*

[2]Ordeno firmemente a todos os irmãos que de modo algum recebam dinheiro ou moedas, nem por si nem por pessoa intermediária. [3]No entanto, só os ministros e custódios exerçam diligente cuidado, através de amigos espirituais, para com as necessidades dos enfermos e para vestir os demais irmãos de acordo com os lugares, tempos e regiões frias, como virem que seja conveniente à necessidade; [4]salvo sempre que, como foi dito, não recebam moedas ou dinheiro.

♦

[Capítulo V]

[1]*O modo de trabalhar*

[2]Aqueles irmãos aos quais o Senhor deu a graça de trabalhar trabalhem fiel e devotamente, [3]de modo que, afastado o ócio que é inimigo da alma, não *extingam o espírito* (cf. 1Ts 5,19) da santa oração e devoção, ao qual devem servir as demais coisas temporais. [4]Quanto ao salário do trabalho, recebam para si e para seus irmãos as coisas necessárias ao corpo, exceto moedas e dinheiro; [5]e isto humildemente, como convém a servos de Deus e a seguidores da santíssima pobreza.

[Capítulo VI]

[1]*Que os irmãos não se apropriem de nada; o modo de pedir esmola e os irmãos enfermos*

[2]Os irmãos não se apropriem de nada, nem de casa, nem de lugar, nem de coisa alguma. [3]E *como peregrinos e forasteiros* (cf. 1Pd 2,11) neste mundo, servindo ao Senhor em pobreza e humildade, peçam esmola com confiança; [4]e não devem envergonhar-se, porque *o Senhor se fez* (cf. 2Cor 8,9) pobre por nós neste mundo. [5]Esta é aquela sublimidade *da altíssima pobreza* (cf. 2Cor 8,2) que vos constituiu, meus irmãos caríssimos, *herdeiros* e reis *do Reino dos Céus*, vos fez *pobres* (cf. Tg 2,5) de coisas, vos elevou em virtudes. [6]Seja esta a vossa *porção* que conduz à *terra dos vivos* (cf. Sl 141,6). [7]Aderindo totalmente a ela, irmãos diletíssimos, nenhuma outra coisa jamais queirais ter debaixo do céu em nome de Nosso Senhor Jesus Cristo. [8]E onde estão e onde quer que se encontrarem os irmãos, mostrem-se mutuamente familiares[15] entre si. [9]E com confiança um manifeste ao outro a sua necessidade, porque, se a mãe nutre e ama a *seu filho* (cf. 1Ts 2,7) carnal, quanto mais diligentemente não deve cada um amar e nutrir a seu irmão espiritual? [10]E se algum deles cair enfermo, os outros irmãos devem servi-lo como gostariam de ser servidos (cf. Mt 7,12).

[Capítulo VII]

[1]*A penitência a ser imposta aos irmãos que pecam*

[2]Se alguns dos irmãos, por instigação do inimigo, pecarem mortalmente – no caso daqueles pecados sobre os quais fora estabelecido entre os irmãos que se recorra somente aos ministros provinciais –, sejam obrigados os referidos irmãos a recorrer a eles o mais depressa que puderem, sem demora. [3]Os ministros, no entanto, se são presbíteros, com misericórdia lhes imponham a penitência; se, porém, não são presbíteros, façam com que lhes seja imposta por outros sacerdotes da Ordem, como lhes parecer melhor segundo Deus. [4]E devem acautelar-se para não se irar ou se perturbar por causa do pecado de alguém, porque a ira e a perturbação impedem a caridade em si e nos outros.

♦

[Capítulo VIII]

[1]*A eleição do ministro geral desta fraternidade e o Capítulo de Pentecostes*

[2]Todos os irmãos devem ter sempre um dos irmãos desta Religião como ministro geral e servo de toda a fraternidade e estejam firmemente obrigados a obedecer-lhe. [3]Afastando-se este [do cargo], faça-se eleição do sucessor pelos ministros provinciais e custódios no Capítulo de Pentecostes, no qual os

ministros provinciais estejam sempre obrigados a reunir-se, onde quer que for estabelecido pelo ministro geral; [4]e isto uma vez em três anos ou em outro prazo maior ou menor, como for ordenado pelo referido ministro. [5]E se em algum tempo parecer à totalidade dos ministros provinciais e custódios que o mencionado ministro não dá conta do serviço e da comum utilidade dos irmãos, estejam obrigados os ditos irmãos, aos quais compete a eleição, a eleger para si, em nome do Senhor, um outro como custódio. [6]Depois do Capítulo de Pentecostes, no entanto, pode cada ministro e custódio, se o quiser e se lhe parecer conveniente, convocar seus irmãos para um Capítulo em sua custódia, uma vez no mesmo ano.

♦

[Capítulo IX]

[1]*Os pregadores*

[2]Não preguem os irmãos na diocese de algum bispo, quando este lhes tiver proibido. [3]E absolutamente nenhum dos irmãos ouse pregar ao povo, se não tiver sido examinado e aprovado pelo ministro geral desta fraternidade e se não lhe tiver sido concedido pelo mesmo o ofício da pregação. [4]Admoesto também e exorto os mesmos irmãos a que, na pregação que fazem, seja sua *linguagem examinada e casta* (cf. Sl 11,7; 17,31), para a utilidade e edificação do povo,

[5]anunciando-lhe, com brevidade de palavra, os vícios e as virtudes, o castigo e a glória; *porque o Senhor, sobre a terra, usou de palavra breve* (cf. Rm 9,28).

♦

[Capítulo X]

[1]*Admoestação e correção dos irmãos*

[2]Os irmãos que são ministros e servos dos demais irmãos visitem e admoestem seus irmãos e corrijam-nos com humildade e caridade, não lhes ordenando nada que seja contra sua alma e a nossa Regra. [3]Os irmãos, porém, que são súditos, recordem-se de que, por amor de Deus, renunciaram às suas próprias vontades. [4]Por isso, ordeno-lhes firmemente que obedeçam a seus ministros em todas as coisas que prometeram ao Senhor observar e que não sejam contrárias à alma e à nossa Regra. [5]E onde quer que estejam os irmãos que souberem e reconhecerem que não podem observar espiritualmente a Regra, devem e podem recorrer a seus ministros. [6]Os ministros, porém, recebam-nos caritativa e benignamente e tenham para com eles tanta familiaridade que eles possam falar-lhes e agir como senhores com seus servos; [7]pois assim deve ser: que os ministros sejam servos de todos os irmãos. [8]Admoesto, no entanto, e exorto no Senhor Jesus Cristo a que os irmãos se acautelem *de toda*

soberba, vanglória, inveja, *avareza* (cf. Lc 12,15), cuidado e *solicitude* deste *mundo* (cf. Mt 13,22), detração e murmuração; e os que não sabem ler não se preocupem em aprender; [9]mas atendam a que, acima de tudo, devem desejar possuir o espírito do Senhor e seu santo modo de operar, [10]rezar sempre a Ele com o coração puro e ter humildade e paciência na perseguição e na enfermidade [11]e amar aqueles que nos perseguem, repreendem e censuram, porque diz o Senhor: *Amai vossos inimigos e rezai por aqueles que vos perseguem e caluniam* (cf. Mt 5,44). [12]*Bem-aventurados os que sofrem perseguição por causa da justiça, porque deles é o Reino dos Céus* (Mt 5,10). [13]*Aquele, porém, que perseverar até ao fim, este será salvo* (Mt 10,22).

♦

[Capítulo XI]

[1]*Que os irmãos não entrem em mosteiros de monjas*

[2]Ordeno firmemente a todos os irmãos que não mantenham relacionamentos suspeitos ou conselhos com mulheres, [3]e que não entrem em mosteiros de monjas, exceção feita para aqueles aos quais foi concedida licença especial pela Sé Apostólica; [4]e não se tornem compadres de homens ou de mulheres, para que desta circunstância não resulte escândalo entre os irmãos ou a respeito dos irmãos.

[Capítulo XII]

[1]*Os que vão para o meio dos sarracenos e outros infiéis*

[2]Se alguns dos irmãos por divina inspiração quiserem ir para o meio dos sarracenos e outros infiéis, peçam licença a seus ministros provinciais. [3]Os ministros, porém, não concedam a ninguém a licença de ir, a não ser àqueles que julgarem idôneos para serem enviados. [4]Imponho por obediência aos ministros que peçam ao senhor papa um dos cardeais da santa Igreja Romana que seja governador, protetor e corretor desta fraternidade [5]para que, sempre súditos e submissos aos pés da mesma santa Igreja e *estáveis na fé* (cf. Cl 1,23) católica, observemos a pobreza e a humildade e o santo Evangelho de Nosso Senhor Jesus Cristo que firmemente prometemos.

[6][Portanto, absolutamente a nenhum homem seja permitido infringir esta página de nossa confirmação ou contrariá-la por temerária ousadia. [7]Se, porém, alguém presumir tentá-lo, saiba que há de incorrer na indignação de Deus Todo-Poderoso e de seus bem-aventurados apóstolos Pedro e Paulo. [8]Dada em Latrão, aos 29 de novembro, no oitavo ano de nosso pontificado (29/11/1223)].

Regra não Bulada

[Prólogo]

[1]*Em nome do Pai e do Filho e do Espírito Santo!* (cf. Mt 28,19). [2]Esta é a vida do Evangelho de Jesus Cristo que Frei Francisco pediu que lhe fosse concedida e confirmada pelo senhor papa. E este lha concedeu e confirmou para ele e para seus irmãos presentes e futuros. [3]Frei Francisco – e quem for superior[16] desta Religião – prometa obediência e reverência ao senhor Papa Inocêncio e aos seus sucessores. [4]E todos os outros irmãos sejam obrigados a obedecer a Frei Francisco e a seus sucessores.

[Capítulo I – Os irmãos devem viver sem propriedade, em castidade e em obediência]

[1]A Regra e vida destes irmãos é esta: viver em obediência, em castidade e sem propriedade[17] e *seguir* a doutrina e *as pegadas* (cf. 1Pd 2,21) de Nosso Senhor Jesus Cristo que diz: [2]*Se queres ser perfeito, vai* (Mt 19,21) e *vende tudo* (cf. Lc 18,22) *que tens e dá aos pobres e terás um tesouro no céu; e vem e segue-me* (Mt 19,21). [3]E: *Se alguém quer vir após mim, renegue-se a si mesmo e tome a sua cruz e siga-me* (Mt 16,24). [4]E também: *Se alguém quer vir a mim e não odeia pai e mãe e*

esposa e filhos e irmãos e irmãs e até mesmo a sua vida, não pode ser meu discípulo (Lc 14,26). [5]E ainda: *Todo aquele que deixar pai ou mãe, irmãos ou irmãs, esposa ou filhos, casas ou campos por causa de mim receberá o cêntuplo e possuirá a vida eterna* (cf. Mt 19,29; Mc 10,29; Lc 18,29).

♦

[Capítulo II – A recepção e as vestes dos irmãos]

[1]Se alguém, por divina inspiração, querendo assumir esta vida, vier procurar nossos irmãos, seja por eles recebido benignamente. [2]Se ele estiver firme em assumir a nossa vida, cuidem muito os irmãos para não se intrometerem em seus negócios temporais, mas apresentem-no, o mais depressa que puderem, ao seu ministro. [3]O ministro, no entanto, receba-o benignamente, conforte-o e exponha-lhe diligentemente o teor de nossa vida. [4]Feito isto, o mencionado [candidato], se quiser e se puder espiritualmente e sem impedimento, *venda* todas as suas coisas e procure distribuir tudo aos *pobres* (cf. Mt 19,21). [5]Cuidem os irmãos e o ministro dos irmãos para não se intrometerem de maneira alguma nos negócios dele [6]e para não receberem qualquer dinheiro nem por si nem por pessoa intermediária. [7]Contudo, se estiverem sofrendo indigência, por causa da necessidade os irmãos podem receber, como os demais pobres, outras coisas necessárias ao corpo, com exceção de

dinheiro. [8]E quando [o candidato] tiver voltado, o ministro conceda-lhe as vestes de provação por um ano, a saber, duas túnicas sem capuz, o cíngulo, calções e o caparão [que vá] até ao cíngulo. [9]Terminado, porém, o ano de provação, seja recebido à obediência. [10]Depois disso, não lhe será permitido entrar em outra Religião nem vagar fora da obediência, de acordo com a prescrição do senhor papa e segundo o Evangelho, porque *ninguém que coloca a mão no arado e olha para trás é apto para o Reino de Deus* (Lc 9,62). [11]Se, porém, vier alguém que não pode dar as suas coisas sem impedimento e tem a vontade espiritual [de fazê-lo], renuncie a elas, e [isto] lhe basta. [12]Ninguém seja recebido contra a forma e a prescrição da santa Igreja.

[13]Os outros irmãos, no entanto, os que prometeram obediência, tenham uma túnica com capuz e, se for necessário, outra sem capuz, o cíngulo e calções. [14]E todos os irmãos se vistam com vestes baratas e possam, com a bênção de Deus, remendá-las de sacos e de outros retalhos, porque diz o Senhor no Evangelho: *Os que vestem roupas preciosas e vivem no luxo* (Lc 7,25) e *os que se vestem com vestes macias estão nos palácios dos reis* (Mt 11,8). [15]E, conquanto sejam chamados de hipócritas, não cessem, contudo, de fazer o bem; e não procurem roupas caras neste mundo, para que possam obter a vestimenta no Reino dos Céus.

[Capítulo III – O ofício divino e o jejum]

[1]Diz o Senhor: *Esta espécie* de demônios *não pode sair, a não ser* pelo jejum e *pela oração* (cf. Mc 9,28); [2]e de novo: *Quando jejuardes, não vos torneis tristes como os hipócritas* (Mt 6,16).

[3]Por isso, todos os irmãos, tanto clérigos quanto leigos, rezem como devem o ofício divino, os louvores e as orações: [4]Os clérigos rezem o ofício e orem pelos vivos e pelos mortos segundo o costume dos clérigos. [5]E pela falta e negligência dos irmãos rezem cada dia o *Miserere mei Deus* (Sl 50) com o *Pai-nosso* (Mt 6,9-13); [6]e pelos irmãos defuntos rezem o *De profundis* (Sl 129) com o Pai-nosso. [7]E possam ter somente os livros necessários para desempenhar o seu ofício. [8]E também aos leigos que sabem ler o saltério, seja-lhes permitido tê-lo. [9]Aos outros, porém, aos que não sabem ler, não lhes seja permitido ter o livro. [10]Os leigos rezem o Creio em Deus e vinte e quatro Pai-nossos com o Glória ao Pai pelas Matinas; pelas Laudes cinco; pela Prima o Creio em Deus e sete Pai-nossos com o Glória ao Pai; pela Terça, pela Sexta e pela Noa, em cada uma destas horas sete; pelas Vésperas doze; pelas Completas o Creio em Deus e sete Pai-nossos com o Glória ao Pai; pelos mortos sete Pai-nossos com o *Requiem aeternam* (cf. 4Esd 2,34-35); e pela falta e negligência dos irmãos três Pai-nossos cada dia.

[11]E todos os irmãos igualmente jejuem desde a festa de Todos os Santos até ao Natal e desde a Epifania, quando Nosso Senhor Jesus Cristo começou a jejuar, até à Páscoa. [12]Em outros tempos, no entanto, de acordo com este modo de vida, não sejam obrigados a jejuar, a não ser na sexta-feira. [13]E, segundo o Evangelho, seja-lhes permitido *comer* de todos os alimentos *que forem colocados diante deles* (cf. Lc 10,8).

♦

[Capítulo IV – Como deverão ser dispostos os ministros e os outros irmãos]

[1]Em nome do Senhor! [2]Todos os irmãos que são constituídos ministros e servos dos demais irmãos distribuam os seus irmãos nas províncias e nos lugares nos quais estiverem, visitem-nos frequentemente e admoestem-nos e confortem-nos espiritualmente. [3]E todos os outros meus irmãos benditos obedeçam-lhes diligentemente naquelas coisas que se referem à salvação da alma e que não são contrárias à nossa vida. [4]E ajam entre si como diz o Senhor: *Tudo aquilo que quereis que os homens vos façam a vós, fazei-o também vós a eles* (Mt 7,12); [5]e: *O que não queres que seja feito a ti, não o faças a outrem* (cf. Tb 4,16). [6]E recordem-se os ministros e servos do que diz o Senhor: *Não* vim *para ser servido, mas para servir* (Mt 20,28) e de que lhes foi confiado o cuidado das almas dos irmãos, dos quais terão que *prestar contas no dia do juízo* (Mt

12,36) diante do Senhor Jesus Cristo, se algum se tiver perdido por sua culpa e mau exemplo.

[Capítulo V – A correção dos irmãos na ofensa]

[1]Guardai, portanto, vossas almas e as de vossos irmãos, porque *é terrível cair nas mãos do Deus vivo* (Hb 10,31). [2]Se, porém, um dos ministros ordenar a algum dos irmãos algo contra nossa vida ou contra sua alma, este não esteja obrigado a obedecer-lhe, porque não há obediência onde se comete delito ou pecado. [3]Entretanto, todos os irmãos que estão sob os cuidados dos ministros e servos considerem com bom senso e diligentemente as ações dos ministros e servos. [4]E se virem um deles proceder carnalmente e não espiritualmente segundo a retidão de nossa vida, depois da terceira admoestação, se não se emendar, denunciem-no no Capítulo de Pentecostes ao ministro e servo de toda a fraternidade, sem nenhum obstáculo que o possa impedir. [5]No entanto, se houver entre os irmãos, em qualquer lugar, algum irmão que queira proceder carnalmente e não espiritualmente, os irmãos, com os quais está, admoestem-no, instruam-no e repreendam-no com humildade e diligência. [6]Se ele, após a terceira admoestação, não quiser emendar-se, enviem-no ou denunciem-no, o mais depressa que puderem, ao seu ministro e servo;

o ministro e servo faça dele como segundo Deus lhe parecer conveniente.

[7]E cuidem todos os irmãos, tanto os ministros e servos como os demais, para não se perturbarem ou se irritarem por causa do pecado ou do mal do outro, porque o demônio quer, por causa do pecado de um só, corromper a muitos; [8]mas ajudem espiritualmente, como melhor puderem, aquele que pecou, porque *não são os sadios que precisam de médico, mas os enfermos* (cf. Mt 9,12; Mc 2,17).

[9]Igualmente, nenhum irmão exerça qualquer poder ou domínio, mormente entre si. [10]Pois, como diz o Senhor no Evangelho: *Os príncipes das nações as dominam, e os que são os maiores exercem poder sobre elas* (Mt 20,25); *não será assim entre* os irmãos (cf. Mt 20,26a); [11]e *quem quiser tornar-se o maior entre eles seja o ministro* (cf. Mt 20,26b) e servo deles; [12]e *quem é o maior* entre eles *faça-se como o menor* (cf. Lc 22,26).

[13]E nenhum irmão faça mal a outro ou diga mal dele; [14]muito pelo contrário, *através da caridade do espírito,* sirvam e obedeçam *uns aos outros* (Gl 5,13) de boa vontade. [15]E esta é a verdadeira e santa obediência de Nosso Senhor Jesus Cristo. [16]E todos os irmãos, cada vez que *se desviarem dos mandamentos do Senhor* (Sl 118,21) e vagarem fora da obediência, como diz o profeta, saibam que fora da obediência são amaldiçoados, enquanto permanecerem conscientemente

em tal pecado. [17]E à medida que perseverarem nos mandamentos do Senhor, que prometeram pelo santo Evangelho e por sua própria vida, saibam que estão na verdadeira obediência e sejam *abençoados pelo Senhor* (cf. Sl 113,15).

♦

[Capítulo VI – O recurso dos irmãos aos ministros e que nenhum irmão se chame de prior]

[1]Os irmãos, em qualquer lugar em que estiverem, se não puderem observar a nossa vida, recorram ao seu ministro o mais depressa possível, dando-lhe a conhecer esta situação. [2]O ministro, no entanto, procure de tal modo atendê-lo como ele próprio gostaria que lhe fosse feito, se estivesse em circunstância semelhante (cf. Mt 7,12). [3]E ninguém se denomine prior, mas todos, sem exceção, sejam chamados de irmãos menores. [4]*E um lave os pés do outro* (cf. Jo 13,14).

♦

[Capítulo VII – O modo de servir e trabalhar]

[1]Todos os irmãos, em quaisquer lugares em que estiverem para servir ou trabalhar em casa de outros, não sejam nem tesoureiros nem despenseiros nem tenham cargo de direção nas casas em que servem; nem aceitem algum ofício que provoque escân-

dalo ou que *cause dano à sua alma* (cf. Mc 8,36); [2]mas sejam os menores e submissos a todos que estão na mesma casa.

[3]E os irmãos que sabem trabalhar trabalhem e exerçam a mesma arte que conhecerem, se não for contra a salvação da alma e se puderem executá-la honestamente. [4]Pois diz o profeta: *Comerás do trabalho de tuas mãos; serás feliz e terás bem-estar* (Sl 127,2); [5]e o apóstolo: *Quem não quer trabalhar não coma* (cf. 2Ts 3,10); [6]e: *Cada um permaneça* naquela arte e ofício *em que estava quando foi chamado* (cf. 1Cor 7,24). [7]E pelo trabalho possam receber todas as coisas necessárias, exceto dinheiro. [8]E, quando for necessário, vão pedir esmola, como os outros pobres. [9]E seja-lhes permitido ter as ferramentas e os instrumentos apropriados ao seu ofício.

[10]Todos os irmãos procurem empenhar-se nas boas obras, porque está escrito: "Faze sempre algo de bom, para que o demônio te encontre ocupado". [11]E também: "A ociosidade é inimiga da alma". [12]Por isso, os servos de Deus devem sempre persistir na oração ou em alguma boa obra.

[13]Cuidem os irmãos, onde quer que estiverem, nos eremitérios ou em outros lugares, para não se apropriarem de nenhum lugar nem o reivindicarem de ninguém. [14]E quem vier procurá-los, amigo ou adversário, ladrão ou assaltante, seja recebido benig-

namente. [15]E, onde quer que estiverem e em qualquer lugar em que se encontrarem, devem os irmãos espiritual e diligentemente cuidar uns dos outros e honrar-se *mutuamente sem murmuração* (1Pd 4,9). [16]E cuidem para não se mostrar exteriormente tristes e sombriamente hipócritas; mas mostrem-se *alegres no Senhor* (cf. Fl 4,4), sorridentes e convenientemente simpáticos.

♦

[Capítulo VIII – Que os irmãos não recebam dinheiro]

[1]Ordena o Senhor no Evangelho: *Cuidado! Guardai-vos de toda* malícia e *avareza* (cf. Lc 12,15); [2]e: *Estai atentos quanto à* solicitude deste mundo e *às preocupações desta vida* (cf. Lc 21,34).

[3]Por isso, nenhum dos irmãos, onde quer que esteja e para onde quer que vá, de modo algum apanhe nem receba nem faça receber dinheiro ou moedas, nem por motivo de vestes nem de livros nem como salário de algum trabalho, absolutamente por nenhum motivo, a não ser por causa de manifesta necessidade dos irmãos enfermos, porque não devemos ter nem considerar no dinheiro e nas moedas maior utilidade do que nas pedras. [4]E o demônio quer obcecar aqueles que o desejam ou que o consideram melhor do que as pedras. [5]Acautelemo-nos, portanto, nós que *tudo deixamos* (cf. Mt 19,27), para que não percamos por tão pouco o Reino dos Céus.

[6]E, se acharmos moedas em algum lugar, não nos preocupemos com elas mais do que com o pó que calcamos com os pés, porque elas *são vaidade das vaidades, e tudo é vaidade* (Ecl 1,2). [7]E se por acaso acontecer – o que não suceda – que algum irmão chegue a recolher ou ter dinheiro ou moedas, exceção feita unicamente na referida necessidade dos enfermos, nós, todos os irmãos, consideremo-lo como irmão falso e apóstata, assaltante e ladrão, e como *aquele que tem a bolsa* (cf. Jo12,6), a não ser que se arrependa verdadeiramente. [8]E de modo algum recebam os irmãos nem façam receber nem peçam nem façam pedir dinheiro como esmola nem moedas em favor de quaisquer casas ou lugares; nem andem com alguma pessoa que pede dinheiro ou moedas em favor de tais lugares; [9]outros serviços, porém, que não são contrários à nossa vida, podem os irmãos prestar aos lugares [onde moram], com a bênção de Deus. [10]No entanto, os irmãos, em manifesta necessidade dos leprosos, podem pedir esmolas para eles. [11]Cuidem-se, no entanto, muito do dinheiro. [12]Igualmente, cuidem todos os irmãos para não vagarem pelo mundo por interesse de algum lucro ignóbil.

♦

[Capítulo IX – O pedir esmola]

[1]Todos os irmãos se esforcem por seguir a humildade e a pobreza de Nosso Senhor Jesus Cristo e re-

cordem-se de que nenhuma outra coisa nos convém ter de todo o mundo, a não ser, como diz o Apóstolo, *tendo os alimentos e com que nos cobrirmos, com estas coisas estejamos contentes* (cf. 1Tm 6,8). [2]E devem alegrar-se, quando conviverem entre pessoas insignificantes e desprezadas, entre os pobres, fracos, enfermos, leprosos e os que mendigam pela rua. [3]E quando for necessário, vão pedir esmolas. [4]E não se envergonhem, mas antes se recordem de que Nosso Senhor Jesus *Cristo, Filho do Deus vivo* (Jo 11,27) e onipotente, *expôs* sua *face como pedra duríssima* (Is 50,7) e não se envergonhou; [5]e Ele foi pobre e hóspede e viveu de esmolas, Ele e a Bem-aventurada Virgem e seus discípulos. [6]E quando os homens lhes causarem vergonha e não lhes quiserem dar esmola, deem por isso graças a Deus; porque pela vergonha receberão grande honra diante do tribunal de Nosso Senhor Jesus Cristo. [7]E saibam que a vergonha é imputada não aos que a sofrem, mas aos que a causam. [8]E a esmola é a herança e direito que se deve aos pobres, a qual Nosso Senhor Jesus Cristo conquistou para nós. [9]E os irmãos que trabalham para adquiri-la terão grande recompensa e fazem lucrá-la e adquiri-la os que dão esmolas; porque tudo que os homens deixarem no mundo perecerá, mas, a partir da caridade e das esmolas que fizeram, terão o prêmio da parte do Senhor.

[10]E com confiança um manifeste ao outro a sua necessidade, para que lhe encontre e sirva as coisas necessárias. [11]E cada qual ame e nutra a seu irmão, como a mãe ama e nutre *seu filho* (cf. 1Ts 2,7); nestas coisas Deus lhe concederá a graça. [12]E *quem não come não julgue quem come* (Rm 14,3b).

[13]E em qualquer tempo em que sobrevier a necessidade, seja permitido a todos os irmãos, onde quer que estiverem, servirem-se de todos os alimentos que os homens podem comer, como diz o Senhor a respeito de Davi, que *comeu os pães da proposição* (cf. Mt 12,4) *que só era permitido aos sacerdotes comerem* (Mc 2,26). [14]E recordem-se do que diz o Senhor: *Estai atentos, porém, para que vossos corações eventualmente não se tornem pesados pelo excesso do comer, pela embriaguez e pelas preocupações desta vida e para que não sobrevenha repentinamente* para vós *aquele dia;* [15]*pois como um laço virá sobre todos os que habitam a face da terra* (cf. Lc 21,34-35). [16]Igualmente, também em tempo de manifesta necessidade, todos os irmãos ajam com relação às suas coisas necessárias, da maneira como o Senhor lhes conceder a sua graça, porque necessidade não tem lei.

♦

[Capítulo X – Os irmãos enfermos]

[1]Se algum dos irmãos cair enfermo, onde quer que estiver, os outros irmãos não o abandonem, a não ser que se constitua um dos irmãos ou mais, se necessá-

rio for, que o sirvam como *gostariam de ser servidos* (cf. Mt 7,12); [2]mas, em extrema necessidade, podem enviá-lo a alguma pessoa que possa satisfazer a sua enfermidade. [3]E peço ao irmão enfermo que *por tudo* renda *graças* (cf. 1Ts 5,18) ao Criador; e que, da maneira como o Senhor o quer, assim deseje estar, são ou enfermo, porque todos aqueles que Deus *predestinou para a vida eterna* (cf. At 13,48), ensina-os por estímulos dos flagelos e das enfermidades e pelo espírito de compunção, como diz o Senhor: *Eu* corrijo e *castigo aqueles que amo* (Ap 3,19). [4]E se alguém se perturbar ou se irar, seja contra Deus seja contra os irmãos, ou exigir remédios talvez insistentemente, desejando muito libertar a carne, que depressa morrerá e que é inimiga da alma, isto lhe provém do mal, e *ele é carnal* (cf. 1Cor 3,3) e não parece ser dos irmãos, porque ama mais o corpo do que a alma.

♦

[Capítulo XI – Que os irmãos não blasfemem nem se difamem, mas se amem uns aos outros]

[1]E cuidem todos os irmãos para não se caluniarem nem *porfiarem com palavras* (cf. 2Tm 2,14); [2]muito pelo contrário, esforcem-se por manter o silêncio, sempre que Deus lhes conceder a graça. [3]Nem bri-

guem entre si nem com outros, mas procurem responder humildemente, dizendo: *sou servo inútil* (cf. Lc 17,10). [4]E não se irem, *porque todo aquele que se irar contra seu irmão será réu de juízo; quem chamar a seu irmão de imbecil será réu do conselho; quem o chamar de louco será réu do fogo da geena* (Mt 5,22). [5]E amem-se uns aos outros, como diz o Senhor: *Este é o meu mandamento, que vos ameis uns aos outros, como eu vos amei* (Jo 15,12). [6]E *mostrem por obras* (cf. Tg 2,18) o amor que têm uns aos outros, como diz o apóstolo: *Não amemos por palavra nem com a língua, mas por obra e em verdade* (1Jo 3,18). [7]E *não blasfemem contra ninguém* (cf. Tt 3,2); [8]não murmurem, não difamem os outros, porque foi escrito: *Os murmuradores e difamadores são odiáveis aos olhos de Deus* (cf. Rm 1,29.30). [9]E sejam modestos, *mostrando toda mansidão para com todos os homens* (cf. Tt 3,2); [10]não julguem, não condenem. [11]E, como diz o Senhor, não considerem os mínimos pecados dos outros (cf. Mt 7,3; Lc 6,41), [12]meditem muito mais sobre os próprios *na amargura de sua alma* (Is 38,15). [13]E esforcem-se por *entrar pela porta estreita* (Lc 13,24), porque diz o Senhor: *Estreita é a porta e apertado o caminho que conduz à vida; e poucos são os que o encontram* (Mt 7,14).

♦

[Capítulo XII – O mau olhar e a frequentação de mulheres]

[1]Todos os irmãos, onde quer que estejam ou aonde quer que vão, cuidem-se do mau olhar e da frequentação de mulheres. [2]E nenhum se aconselhe com elas ou vá sozinho com elas pelo caminho ou coma com elas à mesa no mesmo prato. [3]Os sacerdotes, ao dar-lhes a penitência ou outro conselho espiritual, falem com elas honestamente. [4]E absolutamente nenhuma mulher seja recebida à obediência por um irmão, mas, dado a ela o conselho espiritual, faça ela a penitência onde quiser. [5]E guardemo-nos muito todos nós e mantenhamos puros os nossos membros, porque diz o Senhor: *Aquele que olha uma mulher para cobiçá-la já adulterou com ela em seu coração* (Mt 5,28). [6]E diz o apóstolo: *Não sabeis acaso que vossos membros são templo do Espírito Santo?* (cf. 1Cor 6,19); deste modo, *Deus destruirá aquele que violar o templo de Deus* (1Cor 3,17).

♦

[Capítulo XIII – Evitar a fornicação]

[1]Se, por instigação do demônio, algum dos irmãos fornicar, seja despojado do hábito que perdeu por sua torpe iniquidade – e ele o deponha totalmente – e seja definitivamente expulso da nossa Religião. [2]E, depois, faça penitência dos pecados (cf. 1Cor 5,4-5).

[Capítulo XIV – Como devem ir os irmãos pelo mundo]

[1]Quando os irmãos vão pelo mundo, *nada levem pelo caminho, nem bolsa* (cf. Lc 9,3; 10,4) *nem sacola nem pão nem dinheiro* (cf. Lc 9,3) *nem bastão* (cf. Mt 10,10). [2]E, *em qualquer casa* em que entrarem, *digam primeiramente: Paz a esta casa* (cf. Lc 10,5). [3]E, *permanecendo na mesma casa, comam e bebam do que eles tiverem* (cf. Lc 10,7). [4]*Não resistam ao mau* (cf. Mt 5,39), mas *àquele que lhes bater numa face, ofereçam-lhe também a outra* (cf. Mt 5,39 e Lc 6,29). [5]E a *quem lhes tirar a veste,* não lhe proíbam de tirar também a *túnica* (cf. Lc 6,29). [6]*Tenham atenção para com todo aquele que lhes pede: E se alguém lhes tirar as coisas que são suas, não as peçam de volta* (cf. Lc 6,30).

♦

[Capítulo XV – Que os irmãos não andem a cavalo]

[1]Ordeno a todos os meus irmãos, tanto clérigos quanto leigos, aos que andam pelo mundo e aos que moram nos eremitérios[18], que de modo algum tenham qualquer animal nem consigo nem com outrem nem de qualquer outra maneira. [2]Nem lhes seja permitido andar a cavalo, a não ser que sejam premidos pela enfermidade ou por grande necessidade.

[Capítulo XVI – Os que vão para o meio dos sarracenos e outros infiéis]

[1]Diz o Senhor: *Eis que eu vos envio como cordeiros no meio de lobos.* [2]*Sede, portanto, prudentes como as serpentes e simples como as pombas* (Mt 10,16). [3]Por isso, se algum irmão quiser ir para o meio dos sarracenos e outros infiéis, vá com a licença de seu ministro e servo. [4]E o ministro dê-lhes a licença e não lhes oponha objeção, se vir que são idôneos para serem enviados; pois deverá *prestar contas* (cf. Lc 16,2) ao Senhor, se nisto ou em outras coisas proceder de modo indiscreto. [5]Os irmãos que vão, no entanto, podem de dois modos conviver espiritualmente entre eles. [6]Um modo é que não litiguem nem porfiem, mas sejam submissos *a toda criatura humana por causa de Deus* (1Pd 2,13) e confessem que são cristãos. [7]Outro modo é que, quando virem que agrada a Deus, anunciem a palavra de Deus, para que creiam em Deus onipotente, *Pai, Filho e Espírito Santo* (cf. Mt 28,19), Criador de todas as coisas, no Filho redentor e salvador, e para que sejam batizados e se tornem cristãos, porque *quem não renascer da água e do Espírito Santo não pode entrar no Reino de Deus* (cf. Jo 3,5).

[8]Estas e outras coisas que agradarem ao Senhor podem dizer a eles e a outros, porque diz o Senhor no Evangelho: *Todo aquele que me confessar diante dos*

homens, também eu o confessarei diante de meu Pai que está nos céus (Mt 10,32). [9]E: *Quem se envergonhar de mim e das minhas palavras, também o Filho do homem se envergonhará dele, quando vier na sua majestade e na majestade do Pai e dos anjos* (cf. Lc 9,26).

[10]E todos os irmãos, onde quer que estiverem, se recordem de que se doaram e entregaram seus corpos ao Senhor Jesus Cristo. [11]E por amor dele devem expor-se aos inimigos, tanto aos visíveis quanto aos invisíveis, porque diz o Senhor: *Quem perder a sua vida por causa de mim, salvá-la-á* (cf. Lc 9,24) *para a vida eterna* (Mt 25,46). [12]*Bem-aventurados os que padecem perseguição por causa da justiça, porque deles é o Reino dos Céus* (Mt 5,10). [13]*Se me perseguiram, perseguirão também a vós* (Jo 15,20). [14]E: *Se vos perseguirem em uma cidade, fugi para outra* (cf.Mt 10,23). [15]*Bem-aventurados sois* (Mt 5,11), *quando os homens vos odiarem* (Lc 6,2) *e vos maldisserem* (Mt 5,11) e vos perseguirem e *vos excluírem e vituperarem e proscreverem o vosso nome como mau* (Lc 6,22) e quando, *mentindo, disserem todo mal contra vós por causa de mim* (Mt 5,11). [16]*Alegrai-vos naquele dia e exultai* (Lc 6,23), *porque grande é no céu a vossa recompensa* (cf. Mt 5,12). [17]E eu *vos digo, meus amigos, não temais por estas coisas* (Lc 12,4), [18]*e não temais aqueles que matam o corpo* (Mt 10,28) *e depois disso não têm mais nada que fazer* (Lc 12,4). [19]*Estai atentos para não vos perturbar* (Mt 24,6). [20]Pois *em vossa paci-*

ência possuireis as vossas almas (Lc 21,19), [21]e *aquele que perseverar até ao fim, este será salvo* (Mt 10,22; 24,13).

♦

[Capítulo XVII – Os pregadores]

[1]Nenhum irmão pregue contra a forma e as diretrizes da santa Igreja e se não lhe tiver sido concedido pelo seu ministro. [2]E cuide o ministro para não concedê-lo a ninguém, sem discernimento. [3]Contudo, todos os irmãos preguem com as obras. [4]E nenhum ministro ou pregador se aproprie do ministério dos irmãos ou do ofício da pregação, mas, em qualquer hora em que lhe for ordenado, sem qualquer objeção, deixe seu ofício.

[5]Por isso, na *caridade que é Deus* (cf. 1Jo 4,16), suplico a todos os meus irmãos que pregam, que rezam e que trabalham, tanto aos clérigos quanto aos leigos, que se esforcem por humilhar-se em tudo [6]e por não se gloriar nem se regozijar consigo mesmos nem se exaltar interiormente das boas palavras e obras, e, menos ainda, de nenhum bem que Deus muitas vezes faz ou diz e opera neles e por eles, segundo o que diz o Senhor: *Não vos alegreis, no entanto, porque os espíritos se vos submetem* (Lc 10,20). [7]E saibamos firmemente que nada nos pertence, a não ser os vícios e pecados. [8]E mais devemos alegrar-nos, quando formos submetidos *a diversas provações* (cf. Tg 1,2) e quando suportarmos quaisquer angústias

da alma ou do corpo ou tribulações neste mundo por causa da vida eterna.

[9]Portanto, acautelemo-nos, irmãos todos, de toda soberba e vanglória; [10]e guardemo-nos da sabedoria deste mundo e da *prudência da carne* (Rm 8,6); [11]pois o espírito da carne quer e se esforça muito por ter as palavras, mas pouco por fazer as obras, [12]e procura não a religião e a santidade interior do espírito, mas quer e deseja ter a religião e santidade que aparecem exteriormente aos homens. [13]E estes são aqueles de quem diz o Senhor: *Em verdade vos digo, já receberam sua recompensa* (Mt 6,2). [14]O Espírito do Senhor, porém, quer que a carne seja mortificada e desprezada, vil e abjeta. [15]E procura a humildade, a paciência e a pura, simples e verdadeira paz do espírito. [16]E deseja sempre e acima de tudo o divino temor, a divina sabedoria e o divino amor do *Pai e do Filho e do Espírito Santo* (cf. Mt 28,19).

[17]E restituamos todos os bens ao Senhor Deus altíssimo e sumo e reconheçamos que todos os bens são dele e por tudo demos graças a Ele, de quem procedem todos os bens. [18]E o mesmo altíssimo e sumo, único Deus verdadeiro, os tenha, e lhe sejam restituídos; e Ele receba todas as *honras* e reverências, todos os louvores e *bênçãos*, todas as graças e *glória* (cf. Ap 5,12), Ele, de quem é todo o bem, o *único* que *é bom* (cf. Lc 18,19).

[19]E quando nós virmos ou ouvirmos dizer ou fazer mal ou blasfemar contra Deus, nós bendigamos, façamos o bem e louvemos a Deus, *que é bendito pelos séculos* (Rm 1,25).

♦

[Capítulo XVIII – Como os ministros devem reunir-se]

[1]Todo ano, cada ministro pode reunir-se com seus irmãos, onde lhes aprouver, na festa de São Miguel Arcanjo, para tratarem das coisas que se referem a Deus. [2]Todos os ministros, no entanto, que estão nas regiões ultramarinas e ultramontanas, venham ao Capítulo de Pentecostes junto à igreja de Santa Maria da Porciúncula uma vez em três anos, e os outros ministros, uma vez ao ano, a não ser que pelo ministro e servo de toda a fraternidade tiver sido estabelecido diferentemente.

♦

[Capítulo XIX – Que os irmãos vivam catolicamente]

[1]Todos os irmãos sejam católicos, vivam e falem catolicamente. [2]Se, porém, algum se extraviar da fé e da vida católica no dizer e no fazer e não se emendar, seja definitivamente expulso da nossa fraternidade. [3]E consideremos todos os clérigos e todos os religiosos como senhores naquelas coisas que dizem respeito à salvação da alma e que não desviarem da

nossa Religião; e veneremos no Senhor a ordem, o ofício e o ministério deles.

♦

[Capítulo XX – A penitência e a recepção do Corpo e do Sangue de Nosso Senhor Jesus Cristo]

[1]E os meus irmãos benditos, tanto os clérigos quanto os leigos, confessem seus pecados aos sacerdotes de nossa Religião. [2]E, se não o puderem, confessem-nos a outros sacerdotes discretos e católicos, sabendo firmemente e estando atentos a que, quando receberem penitência e absolvição de quaisquer sacerdotes católicos, estarão absolvidos sem qualquer dúvida daqueles pecados, se procurarem cumprir humilde e fielmente a penitência que lhes foi imposta. [3]Se no momento, porém, não puderem ter um sacerdote, confessem ao seu irmão, como diz o apóstolo Tiago: *Confessai um ao outro os vossos pecados* (Tg 5,16). [4]Contudo, por causa disto não deixem de recorrer ao sacerdote, porque somente aos sacerdotes foi concedido o poder de *ligar e absolver* (cf. Mt 16,19). [5]E assim, contritos e confessados, recebam o Corpo e o Sangue de Nosso Senhor Jesus Cristo com grande humildade e reverência, recordando-se do que diz o Senhor: *Quem come a minha carne e bebe o meu sangue tem a vida eterna* (cf. Jo 6,54); e: [6]*Fazei isto em memória de mim* (Lc 22,19).

[Capítulo XXI – Lauda e exortação que todos os irmãos podem fazer]

[1]Todos os meus irmãos, quando lhes aprouver, podem com a bênção de Deus anunciar entre quaisquer homens esta exortação e lauda[19]: [2]Temei e honrai, louvai e bendizei, *rendei graças* (1Ts 5,18) e adorai o Senhor Deus onipotente na Trindade e na Unidade, *Pai e Filho e Espírito Santo* (cf. Mt 28,19), Criador de todas as coisas. [3]*Fazei penitência* (cf. Mt 3,2), *produzi dignos frutos de penitência* (Lc 3,8), porque em breve morreremos. [4]*Dai, e servos-á dado* (Lc 6,38). [5]*Perdoai, e ser-vos-á perdoado* (cf. Lc 6,37). [6]E *se não perdoardes aos homens os seus pecados* (Mt 6,14), o Senhor *não vos perdoará vossos pecados* (Mc 11,25); *confessai* todos *os vossos pecados* (cf. Tg 5,16). [7]*Bem-aventurados os que morrerem* (cf. Ap 14,13) na penitência, porque estarão no Reino dos Céus. [8]Ai daqueles que não morrerem na penitência, porque serão *filhos do demônio* (1Jo 3,10), cujas *obras realizam* (cf. Jo 8,41), e irão *para o fogo eterno* (Mt 18,8; 25,41). [9]Precavei-vos e abstende-vos de todo mal e perseverai no bem até ao fim.

♦

[Capítulo XXII – Admoestação aos irmãos]

[1]Atendamos, irmãos todos, ao que diz o Senhor: *Amai vossos inimigos e fazei o bem àqueles que vos odeiam* (cf. Mt 5,44 par.), [2]porque Nosso Senhor Jesus Cristo,

cujas *pegadas* devemos *seguir* (cf. 1Pd 2,21), chamou de *amigo* a seu traidor (cf. Mt 26,50) e ofereceu-se espontaneamente aos que o crucificavam. [3]Amigos nossos, portanto, são todos aqueles que injustamente nos causam tribulações e angústias, vergonha e injúrias, dores e tormentos, martírio e morte; [4]a estes devemos amar muito, porque, a partir disto que nos causam, temos a vida eterna.

[5]E odiemos o nosso corpo com seus vícios e pecados; porque, vivendo carnalmente, o demônio quer tirar de nós o amor de Jesus Cristo e a vida eterna e perder a si mesmo com todos no inferno; [6]porque nós, por nossa culpa, somos fétidos, míseros e contrários ao bem, prontos e com vontade inclinada ao mal, como diz o Senhor no Evangelho: [7]*Do coração procedem* e saem *maus pensamentos, adultérios, fornicações, homicídios, furtos, avareza, maldade, fraude, impudicícia, mau olhar, falsos testemunhos, blasfêmia, insensatez* (cf. Mc 7,21-22; Mt 15,19). [8]*Todas estas coisas más procedem do interior* (cf. Mc 7,23) do coração do homem e *são estas que mancham o homem* (Mt 15,20).

[9]Agora, porém, depois que abandonamos o mundo, nada mais temos a fazer, a não ser seguir a vontade do Senhor e agradar-lhe. [10]Cuidemos muito para não sermos terra à beira do caminho ou pedregosa ou espinhosa, segundo o que diz o Senhor no Evangelho: [11]*A semente é a Palavra de Deus* (Lc 8,11).

[12]A que *caiu à beira do caminho e foi pisada* (cf. Lc 8,5) *são os que ouvem* (Lc 8,12) *a palavra e não* (cf. Mt 13,19) a entendem; [13]e *logo vem o demônio* (Mc 4,15; Lc 8,12) *e se apodera do que foi semeado nos corações deles* (Mt 13,19; Mc 4,15) e *retira-lhes a palavra* dos corações *para que não creiam nem sejam salvos* (Lc 8,12). [14]A que caiu *na terra pedregosa* (cf. Mt 13,20) *são os que, ao ouvirem a palavra, logo a acolhem com alegria* (Lc 8,13; Mc 4,16). [15]*Vindo, porém, a tribulação e a perseguição por causa da palavra, logo se escandalizam* (Mt 13,21); e eles não têm raiz em si, *mas são volúveis* (cf. Mc 4,17), porque *creem momentaneamente e no tempo da tentação retrocedem* (Lc 8,13). [16]*A que caiu nos espinhos* (Lc 8,14) *são os que ouvem a palavra de Deus* (cf. Mc 4,18), *e a preocupação* (Mt 13,22) e *as inquietações* (Mc 4,19) *deste mundo e a sedução das riquezas* (Mt 13,22) *e as concupiscências para com outras coisas se intrometem e sufocam a palavra, e eles se tornam sem fruto* (Mc 4,19). [17]*A que foi semeada* (Mt 13,23) *em terra boa, porém* (Lc 8,15), *são os que, ouvindo com o coração bom e leal a palavra* (Lc 8,15), *a entendem* (cf. Mt 13,23), *a retêm e produzem fruto na paciência* (Lc 18,15). [18]E por isso, nós, irmãos, como diz o Senhor, deixemos *os mortos sepultar os seus mortos* (Mt 8,22).

[19]E acautelemo-nos muito da malícia e da esperteza de satanás que quer que o homem não tenha sua mente e o coração dirigidos para Deus. [20]Ele,

rodeando, sob aparência de alguma recompensa ou de ajuda, deseja arrebatar o coração do homem e sufocar-lhe na memória a palavra e os preceitos do Senhor, querendo também, através dos negócios e de cuidados mundanos, obcecar o coração do homem e aí habitar, como diz o Senhor: [21]*Quando o espírito imundo sai do homem, anda por lugares áridos* (Mt 12,43) *e sem água, procurando descanso; e, não encontrando, diz:* [22]*Voltarei para minha casa de onde saí* (Lc 11,24). [23]*E, chegando, encontra-a vazia, limpa e ornada* (Mt 12,44). [24]E *vai e toma outros sete espíritos piores do que ele; eles entram e habitam aí; e a nova situação deste homem torna-se pior do que a anterior* (cf. Lc 11,26).

[25]Portanto, irmãos todos, guardemo-nos muito para que, sob a aparência de alguma recompensa ou de obra ou de ajuda, não percamos ou afastemos do Senhor a nossa mente e o nosso coração. [26]Mas, na santa *caridade que é Deus* (cf. 1Jo 4,16), rogo a todos os irmãos, tanto aos ministros como aos outros, que, removido todo impedimento e todo cuidado e postergada toda preocupação, do melhor modo que puderem, esforcem-se por servir, amar, honrar e adorar o Senhor Deus com o coração limpo e com a mente pura, pois é isto que Ele deseja acima de tudo, [27]e *façamos* sempre aí uma habitação e *um lugar de repouso* (cf. Jo 14,23) para Ele que é o Senhor Deus onipotente, *Pai e Filho e Espírito Santo* (cf. Mt 28,19), que

diz: *Vigiai, pois, em todo tempo em oração para serdes julgados dignos de escapar dos males que deverão vir, e de vos manter de pé diante do Filho do homem* (Lc 21,36). [28]*E quando estiverdes de pé para orar, dizei* (Mc 11,25; Lc 11,2): *Pai nosso, que estais nos céus* (Mt 6,9). [29]E adoremo-lo com o coração puro, *porque convém rezar sempre e não desanimar* (Lc 18,1); [30]*pois o Pai procura tais adoradores.* [31]*Deus é espírito, e aqueles que o adoram devem adorá-lo em espírito e em verdade* (cf. Jo 4,23-24). [32]E recorramos a ele como ao *pastor e guarda de nossas almas* (1Pd 2,25), pois Ele diz: *Eu sou o bom pastor e apascento as minhas ovelhas e pelas minhas ovelhas exponho minha vida* (cf. Jo 10,11.15). [33]*Todos vós sois irmãos;* [34]*e a ninguém chameis de pai para vós sobre a terra, pois um só é o vosso Pai, aquele que está nos céus.* [35]*Não vos chameis de mestres;* pois *um só é o vosso mestre, aquele que está nos céus* (cf. Mt 23,8-10). [36]*Se permanecerdes em mim e se minhas palavras permanecerem em vós, pedireis o que quiserdes e vos será concedido* (Jo 15,7). [37]*Onde estão dois ou três reunidos em meu nome, aí estou eu no meio deles* (Mt 18,20). [38]*Eis que eu estou convosco até à consumação dos tempos* (Mt 28,20). [39]*As palavras que eu vos disse são espírito e vida* (Jo 6,64). [40]*Eu sou o caminho, a verdade e a vida* (Jo 14,6).

[41]Guardemos, portanto, as palavras, a vida, a doutrina e o santo Evangelho daquele que se dignou rogar por nós ao Pai e manifestar-nos o nome dele,

dizendo: *Pai, glorifica teu nome* (Jo 12,28a) e *glorifica teu Filho para que teu Filho te glorifique* (Jo 17,1b). [42]Pai, *manifestei teu nome aos homens que me deste* (Jo 17,6); *porque lhes dei as palavras que me deste; e eles as aceitaram e reconheceram que saí de ti e creram que tu me enviaste.* [43]*Rogo por eles, não pelo mundo;* [44]*mas por aqueles que me deste, porque são teus, e tudo o que é meu é teu* (Jo 17,8-10). [45]*Pai santo, guarda em teu nome os que me deste, para que sejam um assim como nós* (Jo 17,11b). [46]*Falo estas coisas no mundo, para que eles tenham alegria em si mesmos.* [47]*Eu lhes dei tua palavra, e o mundo os odiou, porque eles não são do mundo, como também eu não sou do mundo.* [48]*Não rogo que os tires do mundo, mas que os preserves do mal* (Jo 17,13b-16). [49]*Faze-os brilhar na verdade.* [50]*Tua palavra é a verdade.* [51]*Como Tu me enviaste ao mundo, também eu os enviei ao mundo.* [52]*E por eles me santifico a mim mesmo, para que eles sejam santificados na verdade.* [53]*Rogo não somente por eles, mas também por aqueles que acreditarão em mim por causa da sua palavra* (cf. Jo 17,17-20), *a fim de que sejam consumados na unidade e para que o mundo reconheça que Tu me enviaste e os amaste como amaste a mim* (Jo 17,23). [54]*Revelar-lhes-ei teu nome para que o amor com que me amaste esteja neles, e eu neles* (Jo 17,26). [55]*Pai, quero que, onde eu estou, estejam comigo também aqueles que me deste, para que vejam a tua glória* (Jo 17,24) *em teu reino* (Mt 20,21). Amém!

[1]Onipotente, santíssimo, altíssimo e sumo Deus, *Pai santo* (Jo 17,11) e justo, *Senhor* Rei *do céu e da terra* (cf. Mt 11,25), nós vos rendemos graças por causa de Vós mesmo, porque pela vossa santa vontade e pelo vosso único Filho com o Espírito Santo criastes todos os seres espirituais e corporais e a nós, feitos *à vossa imagem e semelhança, nos colocastes no paraíso* (cf. Gn 1,27; 2,15). [2]E nós caímos por culpa nossa. [3]E rendemo-vos graças, porque, como por vosso Filho nos criastes, do mesmo modo, pelo santo amor *com que nos amastes* (cf. Jo 17,26), o fizestes nascer como verdadeiro Deus e verdadeiro homem da gloriosa sempre virgem, a beatíssima Santa Maria, e quisestes que nós, cativos, fôssemos remidos por sua cruz, sangue e morte. [4]E rendemos-vos graças, porque o mesmo Filho vosso *há de vir na* glória de *sua majestade* (cf. Mt 25,31) para lançar *ao fogo eterno os malditos* (cf. Mt 25,41), que não fizeram penitência e que não vos reconheceram, e para dizer a todos os que vos reconheceram, adoraram e serviram em penitência: *Vinde, benditos de meu Pai*, recebei o *reino que foi preparado para vós desde a origem do mundo* (cf. Mt 25,34).

[5]E porque nós todos, miseráveis e pecadores, não somos dignos de proferir vosso nome, suplicantemente vos pedimos que Nosso Senhor Jesus Cristo, vosso *dileto Filho*, em quem *tendes toda complacência*

(cf. Mt 17,5), juntamente com o Espírito Santo Paráclito, por tudo vos renda graças como agrada a Vós e a Ele, que em tudo sempre vos satisfaz, e por meio de quem nos fizestes tão grandes coisas. Aleluia!

[6]E, por causa de vosso amor, pedimos humildemente à gloriosa e beatíssima Mãe, a sempre Virgem Maria, a São Miguel, São Gabriel e São Rafael e a todos os coros dos bem-aventurados serafins, querubins, *tronos, dominações, principados, potestades* (Cl 1,16), virtudes, anjos, arcanjos, a São João Batista, João Evangelista, Pedro, Paulo e aos bem-aventurados patriarcas, profetas, inocentes, apóstolos, evangelistas, discípulos, mártires, confessores, virgens, aos bem-aventurados Elias e Enoc e a todos os santos que existiram, existirão e existem, que, como vos agrada, por todas estas coisas vos rendam graças a Vós, sumo e verdadeiro Deus, eterno e vivo, com o vosso Filho caríssimo, Nosso Senhor Jesus Cristo, e com o Espírito Santo Paráclito, *pelos séculos dos séculos* (Ap 5,13). *Amém. Aleluia* (Ap 19,3-4).

[7]E a todos os que querem servir ao Senhor Deus na santa Igreja Católica e a todas as seguintes ordens: sacerdotes, diáconos, subdiáconos, acólitos, exorcistas, leitores, ostiários e todos os clérigos, a todos os religiosos e religiosas, a todos os conversos e pequeninos, pobres e indigentes, reis e príncipes, trabalhadores e agricultores, servos e senhores, a

todas as virgens e solteiras e às casadas, aos leigos, homens e mulheres, a todas as crianças, adolescentes, jovens e velhos, sãos e enfermos, a todos os pequenos e grandes, e a todos os povos, gentes, *tribos e línguas* (cf. Ap 7,9), a todas as nações e a todos os homens de qualquer parte da terra, aos que existem e que existirão, nós, os frades menores todos, *servos inúteis* (cf. Lc 17,10), humildemente rogamos e suplicamos para que perseveremos todos na verdadeira fé e penitência, porque de outra maneira ninguém pode salvar-se.

[8]Amemos todos, *de todo o coração, com toda a alma, com todo o pensamento, com todo o vigor* (cf. Mc 12,30) e *fortaleza, com todo o entendimento* (Mc12,33), *com todas as forças* (cf. Lc 10,27), com todo o empenho, com todo o afeto, com todas as entranhas, com todos os desejos e vontades ao *Senhor Deus* (Mc 12,30); a Ele que nos deu e nos dá a todos nós todo o corpo, toda a alma e toda a vida; a Ele que nos criou, nos remiu e somente *por sua misericórdia nos salvará* (Tb 13,5); a Ele que a nós, miseráveis e míseros, pútridos e fétidos, ingratos e maus, fez e faz todos os bens. [9]Portanto, nada mais desejemos, nada mais queiramos, nada mais nos agrade ou deleite a não ser o nosso Criador, Redentor e Salvador, único Deus verdadeiro, que é o bem pleno, todo o bem, o bem total, verdadeiro e sumo bem, o *unicamente bom* (cf. Lc 18,19), piedoso,

manso, suave e doce, o unicamente santo, justo, verdadeiro, santo e reto, o unicamente benigno, inocente, puro, de quem, *por quem* (cf. Hb 2,10) e em quem está todo o perdão, toda a graça, toda a glória de todos os penitentes e justos, de todos os bem-aventurados que se alegram juntamente com Ele nos céus. [10]Nada, portanto, nos impeça, nada nos separe, nada se interponha entre nós; [11]em qualquer parte, em todo lugar, a toda hora, em todo tempo, diária e continuamente, creiamos todos nós de verdade e humildemente e tenhamos no coração e amemos, honremos, adoremos, sirvamos, louvemos e bendigamos, glorifiquemos e superexaltemos, magnifiquemos e rendamos graças ao altíssimo e sumo Deus eterno, Trindade e Unidade, *Pai e Filho e Espírito Santo* (cf. Mt 28,19), criador de todas as coisas e salvador de todos os que nele creem e esperam e o amam, a Ele que é sem início e sem fim, imutável, invisível, inenarrável, inefável, *incompreensível, insondável* (cf. Rm 11,33), *bendito, louvável, glorioso, superexaltado* (cf. Dn 3,52), sublime, excelso, suave, amável, deleitável e totalmente desejável acima de todas as coisas pelos séculos. Amém.

♦

[Capítulo XXIV – Conclusão]

[1]*Em nome do Senhor!* (cf. Cl 3,17). Rogo a todos os irmãos que aprendam o teor e o sentido destas coisas que foram escritas nesta [forma de] vida para a sal-

vação de nossa alma e as recordem frequentemente. [2]E suplico a Deus para que Ele, que é onipotente, trino e uno, abençoe a todos os que, ensinando, aprendendo, conservando, recordando e colocando em prática estas coisas, tantas vezes repetem e realizam o que aí foi escrito para a salvação de nossa alma; [3]e, beijando-lhes os pés, suplico a todos que as amem muito, as guardem e as conservem. [4]E da parte de Deus onipotente e do senhor papa e por obediência, eu, Frei Francisco, ordeno firmemente e imponho que ninguém *diminua* nada destas coisas que foram escritas nesta [forma de] vida nem lhe *acrescente* (cf. Dt 4,2; 12,32) qualquer escrito; e não tenham os irmãos uma outra regra.

[5]Glória ao Pai e ao Filho e ao Espírito Santo, como era no princípio, agora e sempre e pelos séculos dos séculos. Amém.

Regra para os eremitérios

[1]Aqueles que querem viver religiosamente nos eremitérios sejam três irmãos ou no máximo quatro; dois deles sejam as mães e tenham dois filhos, ou um pelo menos. [2]Esses dois, que são as mães, levem a vida de *Marta*, e os dois filhos levem a vida de *Maria* (cf. Lc 10,38-42) e tenham um claustro em que cada um tenha sua pequena cela para rezar e

dormir. [3]E rezem sempre as Completas do dia logo após o pôr-do-sol; e esforcem-se por manter o silêncio; e rezem suas horas [canônicas]; e levantem-se na hora das Matinas e *procurem primeiro o Reino de Deus e sua justiça* (Mt 6,33; Lc 12,31). [4]E rezem a Prima na hora conveniente e, depois da Terça, podem romper o silêncio e falar e dirigir-se às suas mães. [5]E, quando lhes aprouver, podem pedir-lhes esmola, como os pobrezinhos, por amor do Senhor Deus. [6]E, depois, rezem a Sexta e a Noa; e rezem as Vésperas na hora conveniente. [7]E não permitam que alguma pessoa entre no claustro onde moram nem que coma aí. [8]Os irmãos que são mães esforcem-se por ficar longe de qualquer pessoa; e por obediência a seu ministro, guardem seus filhos de toda pessoa, para que ninguém possa falar com eles. [9]E os filhos não falem com ninguém, a não ser com suas mães e com o seu ministro e custódio, quando lhe aprouver visitá-los com a bênção do Senhor Deus. [10]Os filhos, no entanto, assumam de vez em quando o ofício das mães, em revezamento, pelo tempo como lhes parecer melhor estabelecer; e esforcem-se por observar com solicitude e empenho todas as referidas coisas.

Saudação à Bem-aventurada Virgem Maria

[1]Ave, Senhora, Rainha santa, santa Maria mãe de Deus, Virgem feita igreja [2]e que do céu foste escolhida pelo santíssimo Pai, a quem Ele consagrou com seu santíssimo e dileto Filho e com o Espírito Santo Paráclito, [3]e em quem esteve e está toda a plenitude da graça e todo o bem! [4]Ave, palácio do Senhor! Ave, tabernáculo do Senhor! Ave, casa do Senhor! [5]Ave, vestimenta do Senhor! Ave, serva do Senhor! Ave, mãe do Senhor, [6]e vós, santas virtudes todas, que pela graça e iluminação do Espírito Santo sois infundidas nos corações dos fiéis para os tornardes de infiéis em fiéis a Deus!

Saudação às virtudes

[1]Ave, rainha sabedoria, o Senhor te salve com tua irmã, a santa e pura simplicidade. [2]Senhora santa pobreza, o Senhor te salve com tua irmã, a santa humildade. [3]Senhora santa caridade, o Senhor te salve com a tua irmã, a santa obediência. [4]Santíssimas virtudes todas, salve-vos o Senhor de quem vindes e procedeis.

[5]Não há absolutamente em todo o mundo nenhum homem que possa ter uma de vós se antes não

morrer. [6]Aquele que tem uma e não ofende as outras tem todas. [7]E aquele que *ofende uma* (cf. Tg 2,10) não tem nenhuma e a todas ofende. [8]E cada uma delas confunde os vícios e pecados.

[9]A santa sabedoria confunde a satanás e todas as suas malícias. [10]A pura e santa simplicidade confunde toda *a sabedoria deste mundo* (cf. 1Cor 2,6) e a sabedoria da carne. [11]A santa pobreza confunde a ganância e a avareza e os cuidados deste mundo. [12]A santa humildade confunde a soberba e todos os homens que há no mundo e igualmente todas as coisas que há no mundo. [13]A santa caridade confunde todas as tentações diabólicas e carnais e todos *os temores* (cf. 1Jo 4,18) da carne. [14]A santa obediência confunde todas as vontades próprias, corporais e carnais, [15]e mantém o corpo mortificado para a obediência ao espírito e ao seu irmão [16]e torna o homem súdito e submisso a todos os homens que há no mundo, [17]e não somente aos homens, mas também a todos os animais e feras, [18]para que possam fazer dele o que quiserem, tanto quanto lhes for *permitido do alto* (cf. Jo 19,11) pelo Senhor.

Testamento

[1]Foi assim que o Senhor concedeu a mim, Frei Francisco, começar a fazer penitência: como eu estivesse em pecados, parecia-me sobremaneira amar-

go ver leprosos. [2]E o próprio Senhor me conduziu entre eles, e fiz misericórdia[20] com eles. [3]E afastando-me deles, aquilo que me parecia amargo se me converteu em doçura de alma e de corpo; e, depois, demorei só um pouco e saí do mundo. [4]E o Senhor me deu tão grande fé nas igrejas que simplesmente eu orava e dizia: [5]Nós vos adoramos, Senhor Jesus Cristo, aqui e em todas as vossas igrejas que há em todo o mundo, e vos bendizemos, porque, pela vossa santa cruz, remistes o mundo. [6]Depois, o Senhor me deu e me dá tanta fé nos sacerdotes que vivem segundo a forma da santa Igreja Romana – por causa da ordem deles – que, se me perseguirem, quero recorrer a eles. [7]E se eu tivesse tanta *sabedoria* quanta teve *Salomão* (cf. 1Rs 4,30-31) e encontrasse sacerdotes pobrezinhos deste mundo, não quero pregar nas paróquias em que eles moram, passando por cima da vontade deles. [8]E a eles e a todos os outros quero temer, amar e honrar como a meus senhores. [9]E não quero considerar neles o pecado, porque vejo neles o Filho de Deus, e eles são meus senhores. [10]E ajo desta maneira, porque nada vejo corporalmente neste mundo do mesmo altíssimo Filho de Deus, a não ser o seu Santíssimo Corpo e seu Santíssimo Sangue que eles recebem e só eles ministram aos outros. [11]E quero que estes santíssimos mistérios sejam honrados e venerados acima de tudo e colocados em lugares preciosos. [12]Os santíssimos nomes e palavras dele escritos, se por acaso eu os encontrar em lugares inconvenientes, quero recolhê-los e rogo que sejam recolhidos e colocados em lugar honesto. [13]E a todos os teólogos e aos que ministram as santíssimas palavras divinas devemos honrar e venerar como a quem nos ministra *espírito e vida* (cf. Jo 6,64).

[14]E depois que o Senhor me deu irmãos, ninguém me mostrou o que deveria fazer, mas o Altíssimo mesmo me revelou que eu deveria viver segundo a forma do santo Evangelho. [15]E eu o fiz escrever com poucas palavras e de modo simples, e o senhor papa mo confirmou. [16]E aqueles que vinham para assumir esta vida davam aos pobres *tudo o que podiam ter* (cf. Tb 1,3); e estavam contentes com uma só túnica, remendada por dentro e por fora, com o cordão e calções. [17]E mais não queríamos ter. [18]E nós, clérigos, rezávamos o ofício como os outros clérigos, os leigos diziam os *Pai-nossos* (cf. Mt 6,9-13); e de boa vontade ficávamos nas igrejas. [19]E éramos iletrados e submissos a todos. [20]E eu *trabalhava com as* minhas *mãos* (cf. At 20,34) e quero trabalhar; e quero firmemente que todos os outros irmãos trabalhem num ofício que convenha à honestidade. [21]Os que não sabem trabalhar aprendam, não pelo desejo de receber o salário do trabalho, mas por causa do exemplo e para afastar a ociosidade. [22]E quando não nos for dado o salário,

recorramos à mesa do Senhor, pedindo esmolas de porta em porta. [23]Como saudação, o Senhor me revelou que disséssemos: *o Senhor* te *dê a paz* (cf. 2Ts 3,16). [24]Cuidem os irmãos para não receber de modo algum igrejas, pequenas habitações pobrezinhas e tudo que for construído para eles, se não estiver como convém à santa pobreza que prometemos na Regra, hospedando-se nelas sempre como *forasteiros e peregrinos* (cf. 1Pd 2,11). [25]Mando firmemente por obediência a todos os irmãos, onde quer que estejam, que não ousem pedir à Cúria Romana qualquer tipo de carta, nem por si nem por pessoa intermediária, nem em favor de igreja nem em favor de outro lugar sob pretexto da pregação, nem por perseguição de seus corpos; [26]mas, se em algum lugar não forem aceitos, *fujam para outra* (cf. Mt 10,23) terra para fazer penitência com a bênção de Deus.

[27]E quero firmemente obedecer ao ministro geral desta fraternidade e a qualquer outro guardião que lhe aprouver dar-me. [28]E quero de tal modo estar preso em suas mãos que eu não possa andar ou agir fora da obediência e da vontade dele, porque ele é meu senhor. [29]E, embora eu seja simples e enfermo, quero, no entanto, ter sempre um clérigo que reze para mim o ofício, como consta na Regra. [30]E todos os outros irmãos sejam obrigados do mesmo modo a obedecer aos seus guardiães e a rezar o ofício segun-

do a Regra. [31]E se forem encontrados [irmãos] que não rezam o ofício segundo a Regra e querem variar com outro modo ou que não são católicos, todos os irmãos, onde quer que estiverem, onde encontrarem algum destes, por obediência sejam obrigados a apresentá-lo ao custódio mais próximo daquele lugar em que o encontraram. [32]E o custódio esteja firmemente obrigado por obediência a guardá-lo fortemente como a um homem prisioneiro, de dia e de noite, de tal modo que não possa escapar de suas mãos, até que o entregue pessoalmente às mãos de seu ministro. [33]E o ministro esteja firmemente obrigado por obediência a enviá-lo por tais irmãos, que o devem guardar de dia e de noite como a um homem prisioneiro, até que o apresentem diante do senhor de Óstia, que é o senhor, o protetor e o corretor de toda a fraternidade. [34]E não digam os irmãos: Esta é outra regra; porque esta é uma recordação, uma admoestação, uma exortação e o meu testamento que eu, Frei Francisco pequenino, faço para vós, meus irmãos benditos, para que observemos mais catolicamente a Regra que prometemos ao Senhor.

[35]E o ministro geral e todos os outros ministros e custódios estejam obrigados pela obediência a nada *acrescentar* ou *diminuir* (cf. Dt 4,2; 12,32) a estas palavras. [36]E tenham sempre consigo este escrito junto à Regra. [37]E em todos os Capítulos que realizarem,

ao lerem a Regra, leiam também estas palavras. [38]E ordeno firmemente por obediência a todos os meus irmãos, clérigos e leigos, que não introduzam glosas na Regra nem nestas palavras dizendo: assim devem ser entendidas. [39]Mas, como o Senhor me concedeu de modo simples e claro dizer e escrever a Regra e estas palavras, igualmente, de modo simples e sem glosa, as entendais e com santa operação as observeis até o fim. [40]E todo aquele que estas coisas observar seja repleto *no céu da bênção* do altíssimo Pai e *na terra* (cf. Gn 27,27-28) seja repleto da bênção do seu dileto Filho com o Santíssimo Espírito Paráclito e com todas as virtudes dos céus e com todos os santos. [41]E eu, Frei Francisco pequenino, vosso servo, quanto posso, vos confirmo interior e exteriormente esta santíssima bênção.

Última vontade escrita para Santa Clara

[1]Eu, Frei Francisco pequenino, quero seguir a vida e a pobreza de nosso altíssimo Senhor Jesus Cristo e de sua Mãe santíssima e perseverar nela até ao fim; [2]e rogo-vos, senhoras minhas, e dou-vos o conselho para que vivais sempre nesta santíssima vida e pobreza. [3]E estai muito atentas para, de maneira alguma, nunca vos afastardes dela por doutrina ou conselho de alguém.

Palavras de exortação: "Ouvi, pobrezinhas"

Estas palavras o bem-aventurado Francisco compôs em língua vulgar:

[1]Ouvi, pobrezinhas, pelo Senhor chamadas, que de muitas partes e províncias sois congregadas: [2]vivei sempre em verdade, para que em obediência morrais. [3]Não olheis para a vida exterior, pois aquela do espírito é melhor. [4]Eu vos peço, com grande amor, que tenhais discrição a respeito das esmolas que vos dá o Senhor. [5]Aquelas que estão atormentadas por enfermidade e as outras que por elas sofrem fadigas, todas vós, suportai-as em paz, pois vendereis muito caro esta fadiga, [6]visto que cada uma será rainha no céu, coroada com a Virgem Maria.

Notícias de outros textos

a) Bênção a Frei Bernardo

[1]Escreve como te digo: o primeiro irmão que o Senhor me deu foi Frei Bernardo [2]e foi quem por primeiro iniciou e cumpriu plenamente a perfeição do santo Evangelho, distribuindo todos os seus bens aos pobres; [3]por causa disto e por causa de muitas ou-

tras prerrogativas, tenho por obrigação amá-lo mais do que a qualquer outro irmão de toda a Religião. [4]Por isso, quero e ordeno, como posso, que quem for ministro geral o ame e honre como a mim mesmo, [5]e igualmente os outros ministros provinciais e os irmãos de toda a Religião o tenham em meu lugar.

b) Bênção enviada por escrito a Santa Clara

[1]... para consolá-la, escreveu-lhe, por meio de uma carta, a sua bênção, [2]como também a absolveu de toda falta, caso a tivesse, em referência a seus mandamentos e vontades e aos mandamentos e vontades do Filho de Deus.

c) Carta escrita aos cidadãos de Bolonha

Disse também [Frei Martinho de Barton] que certo irmão, que estava em oração em Bréscia no dia do Natal do Senhor, foi encontrado ileso sob a ruína das pedras, pois a igreja ruiu durante o terremoto que São Francisco predissera e que mandara os irmãos anunciar, por meio de uma carta escrita em latim incorreto, em todas as escolas de Bolonha.

d) Carta sobre o jejum, escrita para Santa Clara

[1]A respeito das coisas que já me pediste que te explicasse, encaminho à tua caridade a resposta, a

saber, sobre quais seriam as festas que talvez – como julgo que tu em parte avaliaste – nosso gloriosíssimo pai São Francisco nos admoestaria que celebrássemos de modo especial com variedade de alimentos: [2]Alguém com a tua prudência reconheceria que, com exceção das fracas e enfermas – para com as quais ele admoestou e ordenou usar toda a discrição que pudermos a respeito de quaisquer alimentos –, cada uma de nós, que estiver com saúde e forte, deveria comer somente alimentos quaresmais, tanto nos dias feriais como nos festivos, jejuando todos os dias, exceto nos domingos e no Natal do Senhor, nos quais deveríamos comer duas vezes por dia. [3]E também nos dias de quinta-feira do tempo comum, de acordo com a vontade de cada uma, de modo que quem não quiser não seja obrigada a jejuar. [4]Contudo, nós, que estamos com saúde, jejuamos todos os dias, com exceção dos domingos e do Natal. [5]Mas, como diz o escrito do bem-aventurado Francisco, na Páscoa e nas festas de Santa Maria e dos Santos Apóstolos, também não somos obrigadas a jejuar, a não ser que estas festas ocorram na sexta-feira: [6]e, como foi dito antes, nós, que estamos com saúde e fortes, sempre tomamos alimentos quaresmais.

e) Carta escrita à Senhora Jacoba

(... descobriu-se que a santa mulher levara tudo o que devia ser levado para as exéquias e que a carta anteriormente escrita continha): Trouxe um pano de cor cinza com que se cobriria o pequeno corpo do falecido, igualmente muitas velas de cera, um véu para o rosto, um travesseiro para a cabeça e uma certa iguaria que o santo apreciava.

f) Carta enviada aos irmãos da França

[1]... o bem-aventurado Francisco escreveu de próprio punho uma carta... ao ministro e aos irmãos da França [2]para que, ao verem a carta, se alegrassem, proclamando louvores ao Deus Trindade: [3]Bendigamos o Pai e o Filho e o Espírito Santo.

g) Testamento de Sena

[1]Escreve que abençoo a todos os meus irmãos que estão na Ordem e os que hão de vir até o fim do mundo... [2]Visto que por causa da minha fraqueza e do sofrimento de minha enfermidade não consigo falar, de modo breve exponho para meus irmãos nestas três palavras a minha vontade, a saber, [3]que em sinal da memória de minha bênção e de meu testamento sempre se amem uns aos outros, [4]sempre amem e observem nossa senhora, a santa pobreza, [5]e sempre se mantenham fiéis e submissos aos prelados e a todos os clérigos da santa mãe Igreja.

h) A verdadeira e perfeita alegria

[1]O mesmo [Frei Leonardo] contou na mesma ocasião que, um dia, o bem-aventurado Francisco, em Santa Maria, chamou Frei Leão e disse: "Frei Leão, escreve". [2]Este respondeu: "Já estou pronto". [3]"Escreve – disse – o que é a verdadeira alegria. [4]Vem um mensageiro e diz que todos os mestres de Paris entraram na Ordem: escreve que isto não é a verdadeira alegria. [5]Igualmente, que [entraram na Ordem] todos os prelados ultramontanos, arcebispos e bispos, o rei da França e o rei da Inglaterra: escreve que isto não é a verdadeira alegria. [6]Do mesmo modo, que os meus irmãos foram para o meio dos infiéis e os converteram todos à fé; e, além disso, que eu tenho tanta graça de Deus que curo os enfermos e faço muitos milagres: digo-te que em tudo isto não está a verdadeira alegria. [7]Mas o que é a verdadeira alegria? [8]Volto de Perúgia e chego aqui na calada da noite; e é tempo de inverno, cheio de lama e tão frio que gotas de água se congelam nas extremidades da túnica e [me] batem sempre nas pernas, e o sangue jorra de tais feridas. [9]E totalmente na lama, no frio e no gelo, chego à porta e, depois de eu ter batido e chamado por muito tempo, vem um irmão e pergunta: Quem és? Eu respondo: Frei Francisco. [10]E ele diz: Vai-te embora! Não é hora decente de fi-

car andando; não entrarás. [11]E, como insisto, de novo ele responde: Vai-te embora! Tu és simples e idiota. De maneira alguma serás acolhido junto a nós; somos tantos e tais que não precisamos de ti. [12]E eu novamente me coloco de pé diante da porta e digo: Por amor de Deus, acolhei-me por esta noite. [13]E ele responde: Não o farei. [14]Vai ao lugar dos Crucíferos e pede lá. [15]Digo-te que, se eu tiver paciência e não ficar perturbado, nisto está a verdadeira alegria e a verdadeira virtude e a salvação da alma".

Índice Remissivo

Abnegação

– renunciar a si mesmo: RnB 1,3-5; 2Fi 40; cf. **Obediência**

Abstinência

Ação de graças

– por Jesus Cristo e o Espírito Santo: RnB 23,5

– por nós: RnB 23,11

– oração de ação de graças: 2Fi 61-62; LH 11; RnB 17,17-19; 23,1-4

– exortação à ação de graças: RnB 21,2

Aconselhar

– os ministros aconselhem os irmãos: RnB 4,2; 2Fi 44

– os irmãos se aconselhem mutuamente: RnB 5,5

– aconselhem o povo: 1Ct 6; cf. **Admoestação, correção, expressões**

Admissão

– à Ordem: RnB 2,1ss.; RB 2,1ss.

Admoestação

– Exortações ou ensinamentos: Ad 1-28

– antes de punir: RnB 5,5-8

– o Testamento é uma admoestação: Test 34

Adoração

– devemos adorar: RnB 22, 26

– com coração puro: Ad 16,2; 2Fi 19-20

– em espírito e em verdade: RnB 22,29-31

– nós vos adoramos: Test 5

– pregar a adoração a Deus: RnB 21,2; Ord 4

– os adoradores serão salvos: RnB 23, 4

Afrontas

– aceitar sem se perturbar: Ad 14,2-4

– aceitar com humildade: Ad 23,3

– serão motivo de honra: Ad 6,2; cf. **perseguição, tribulação, ofensa**

Água

– criatura: Cnt 7

Alegria

– Deus é alegria: LD 4

– que os irmãos se mostrem alegres: RnB 7,16

– alegres nas obras do Senhor: Ad 21,1; RnB 22,46; Ord 26; OP VI,1-7; VIII, 5; IX,1-7; X,1; XI,5; XIV,5-6; XV,1.6.9

– alegres na tribulação: RnB 16,16; 17,8

– alegres com a felicidade do próximo: PN 5

– alegres entre os pobres: RnB 9,2

– alegria e pobreza: Ad 27,3

Alma

– contra a alma: Ad 3,7; RB 10,1.3; 5,2; RnB 7,3

– salvação da alma: 1Fr 57; 2Fr 11; RnB 19,3; RnB 24,1.2; PA 14

– inimigos da alma: 1Fi II,15; 2Fi 66.68.82; 1Fr 3; 1Fr 72; 2Fr 22; 3Fr 3; RB 5,2; RnB 4,3; RnB 7,11; RnB 10,4

Altíssimo

– Ad 1,9; 7,4; 8,3; 28,2; Cnt 1.2.4.11; LD 1; 1Cl 3; 2Cl 3; 2Fi 4.62; Ord 4.14.15.52; FV 1; 1Fr 54; LH 1; OP: Antif; RnB 17,17.18; 23,1; 23,10; Test 10.14.40; UV 1

Amargo

– servir a Deus: 1Fi II,11; 2Fi 69

– ver leprosos: Test 1

– converte-se em doçura; Test 3

Ambição

– Ad 27,3; RB 10,7; RnB 8,1; 22,7; SV 11; Test 21

Amor

– por amor de Deus (Cristo): Ad 3,9; 9,1-4; 15,2; 20,2; 24; Cnt 10; Ord 31; PN 8; 1Fr 40; 2Fr 26; RB 10,2; RnB 16,11; RE 5; PA 12

– Deus é amor: LD 4; PN 2

– Amor de Deus (Cristo): 1Fi II,10.19; PN 5.6; 1Fr 3.53; 17,16; RnB 22,5.54; 23,2.6

– Amor mútuo: RnB 11,5.6; 2Fi 26; PN 5

– Amor a Deus: 2Fi 19; PN 5; RnB 23,8.11

– Amor aos inimigos: PN 8; RnB 22,4

– Amar por obras: RnB 11,6

– Amor às criaturas: cf. **Criaturas**

Animais

– proibição de possuir: RnB 15,1

– proibição de andar a cavalo: RnB 15,2; RB 3,12
– submeter-se aos animais: SV 17
Anjo
– Miguel: ExL 17; RnB 23,6
– Gabriel: 2Fi 4; RnB 23,6
– que contemplam os mistérios de Deus: Ord 22; PN 2; OP: Antif
– na presença do Pai: RnB 16,9; 23,6
Apostolado
– finalidade: RnB 16, 7
– método: RnB 16,6-7
– junto aos fiéis: RB 3,10-14
– junto aos infiéis: RB 12, 1-2; RnB 16, 1,3ss.
– pelo exemplo: RnB 17,3
Apóstolos
– viram e creram: Ad 1,19
– viveram de esmolas: RnB 9,5
– intercessores: RnB 23, 6
– Pedro: RnB 23,5
– João: RnB 23,5
– Paulo: RnB 23,5
– Filipe: Ad 1,3.4
– Tiago: RnB 20,3
Apropriação
– não se apropriar de lugar: RnB 7,13; RB 6,1
– não se apropriar de cargo: Ad 4,3; 19,4; RnB 17,4
– não se apropriar da ciência: Ad 7,4
– não se apropriar da própria vontade: Ad 2,3

Avareza cf. Ambição

Batismo

- finalidade da pregação aos infiéis: RnB 16,7

Beleza

- o Senhor é beleza: LD 4.5
- o sol é imagem da beleza de Deus: Cnt 4

Bem-aventurança

- Ad 11,4; 13,1; 14,1; 15,1; 16,1; 17,1; 18,1.2; 19,1.4; 20,1; 21,1; 22,1.2.3; 23,1.2; 24,1; 25,1; 26,1; 28,1.3; Cnt 11.13; 1Fi I,5; 2Fi 18; PN 4; RB 10,11; RnB 16,12.15; 21,7

Bênção

- a Frei Leão: BnL 1-3
- a Frei Bernardo: BnB 1-5
- bênção do Testamento: Test 40-41
- aos que guardam os escritos: 1Ct 9; Ord 49; 1Cl 15; 2Cl 15; 2Fi 88; Mn 9; 2Fr 29

Bens

- distribuir aos pobres: RB 2,5.8; RnB 2,4; Test 16
- todos os bens provêm de Deus: Ad 2,3; 18,2; 21,2; 28,1; 1Fi 61; 1Fr 54; LH 11; RnB 17,17; 23,8

Bispo

- permissão de pregar: RB 2,4; 9,1
- título dado a Santo Antônio: Ant 1

Blasfêmia

- substituí-las pelo louvor: RnB 17,19
- a inveja é blasfêmia: Ad 8,3

Bolsa

– proibição: RnB 8,7

– perigo para a alma: Ad 4,3

– indica o traidor: RnB 14,1

Bondade (benignidade)

– Deus unicamente bom: 2Fi 62; Ord 8; ExL 10; 1Fr 55; LH 11; RnB 17,18; 23,9

– para com o candidato: RnB 2,1

– para com os ladrões: RnB 7,14

– para com o irmão que peca: RnB 5,7; Mn 9.15.17

Breviário

– permitido ter: RB 3,2

Calçados

– em caso de necessidade: RB 2,15

Cálices

– tratar com respeito: 1Cl 4; 2Cl 4; 1Ct 3

Calúnia

– evitar: RnB 11,1

– rezar pelos que caluniam: Ad 9,1; RB 10,10

Canto (Cântico)

– cântico das criaturas: Cnt 1ss.

– cantar (louvores) ao Senhor: OP 7,5; 9,1.9; 15,10

– cantar o ofício divino: Ord 41-42

Capítulo

– de Pentecostes: RnB 5,4; 18,2; RB 8,2.5; Mn 13

– provincial: RB 8,5

– promulgação de leis e aperfeiçoamento da Regra: Mn 13.21-22

Cardeal

- protetor: RB 3,3; Test 33

Cargo (ofício)

- não se apropriar: Ad 4,1ss.; 19,3-4; 23,1; RnB 17,4
- respeito ao ofício sacerdotal: Ad 26,3; 2Fi 33; Test 10-11
- ofício da pregação: 1Ct 9; RB 9,2; RnB 17,4
- cargos proibidos: RnB 7,1

Caridade cf. Amor

- Deus é caridade: LD 4.6; RnB 17,5; 22,26; 1Fi II,19; 2Fi 87; 1Fr 15.43
- irmã da obediência: Ad 3,6; SV 3
- irmã da humildade: 2Fi 30.87; Ord 12; RB 10,1
- virtude teologal: OC
- opõe-se ao medo e à ira: Ad 27,1; 11,2; RB 7,3
- confunde as tentações: SV 13
- é dever dos ministros: RB 10,5
- é desejo de Francisco: 2Fi 1
- não só por palavras, mas também por obras: Ad 24; 25; Ord 31; RnB 11,5-6; 1Fr 30

Carnal

- vida carnal (viver carnalmente): 1Fr 3; RnB 5,4.5; 22,5; 1Fi II,1; 2Fi 45.64
- irmão (homem) carnal: RnB 10,4

Carne

- humanidade (corporeidade): Ad 1,19.20; 2Fi 4
- significa o Corpo de Cristo: Ad 1,11; 2Fi 23; RnB 20,5

– o próprio "eu": Ad 12,2; 14,3
– a prudência do mundo: 2Fi 45; 1Fr 47; RnB 17,10; SV 10
– realidade inimiga da alma e de Deus: 1Fi II, 3.64.69; 1Fr 47.72; 2Fr 2; 3Fr 4; RnB 10,4; 17,11
– aliada do mundo e do demônio: 1Fi II,11; 2Fi 20
– realidade a ser desprezada: 1Fr 51; RnB 17,14
– cf. **Corpo**

Casa
– não apropriação de casa: RB 6,1
– paz a esta casa: RB 3,13; RnB 14,2
– Maria, casa de Deus: SM 4
– o fiel é habitação do Espírito do Senhor: 1Fi I,6; 2Fi 48; 1Fr 16; RnB 22,27

Castidade
– viver o Evangelho em castidade: RB 1,1; RnB 1,1
– receber o Corpo de Cristo em corpo casto: 2Fi 14
– qualidade da água: Cnt 7
– linguagem casta: RB 9,2
– olhos castos: RnB 12,5
– evitar relacionamento suspeito: RB 11,2; RnB 12,1-4
– pena para os fornicadores: RnB 13,1
– guardar os sentidos: RnB 12,5

Castigo
– para o pecado: Ad 2,5; 2Cel 68,5
– pregar o castigo: RB 9,4
– castigar o corpo: 1Fr 3; RnB 22,5

Católico

– os irmãos sejam católicos: RB 2,2; 12,4; RnB 19,1; 2Fi 32

– como tratar os irmãos não católicos: Ord 44; RnB 19,2; Test 31ss.

– confessar-se a sacerdotes católicos: RnB 20,2

Cavalo

– proibição de andar a cavalo: RB 3,12; RnB 15,2

Censura

– suportar com paciência: Ad 22,1-3; cf. **Correção**

Céu

– procurar os valores celestiais: Ad 16,2

– terra dos vivos (recompensa da pobreza): RB 6, 5; Test 40

Ciência

– um só mestre: RnB 22,35

– verdadeira ciência: Ad 7,4

– ciência carnal: Ad 7,2-3; 2Fi 83

– ciência do bem e do mal: Ad 2,3-4

Clausura

– RE 2.7; RB 11,2

Clérigos

– são nossos senhores: 1Fr 57; 2Fr 28; RnB 19,3; Test 6-9; TestS 5

– recitar o ofício divino como eles: Ord 41; RB 3,1.4; RnB 3,4; Test 18

– ter humildade no relacionamento com eles e venerá-los: Ad 26,1-2; 2Fi 33.35; 2Fr 28

– ter fé nos clérigos: Test 6
– eles administram os sacramentos: Ad 26,3; RnB 20,4; Test 10; 1Cl 4.5; 2Cl,4.5; 2Fi 33-35
Cobiça; cf. Ambição
Comunhão
– Ad 1,12; 1Fi I,3; II,1; 2Fi 14.22.63; Gv,6; RnB 20,5; cf. **Corpo de Cristo**
Condenação
– condenação de quem profana o Corpo de Cristo: Ad 1,13; 2Fi 24; Ord 19-20; cf. **Maldição**
Confiança
– mendigar com confiança: RB 6,2
– manifestar com confiança sua necessidade: 2Fr 20; RB 6,8; RnB 9,10
Confissão
– dos pecados: Ad 22,2; 23,3; 2Fi 22; 1Fr 65; RnB 21,7
– a um sacerdote da Ordem: Mn 18; RB 7,1-2; RnB 20,1
– ou a outro sacerdote católico: RnB 20,2
– ou a um irmão leigo: Mn 19; RnB 20,3
– confissão de Francisco: Ord 38-39;
– confissão de mulheres: RnB 12,3-4
Conhecimento; cf. Ciência
Conselhos
– seguir os conselhos de Jesus Cristo: 2Fi 39; Ord 7
– os irmãos podem dar conselhos: 1Fr 31; RB 2,8; RnB 12,1.3-4

– São Francisco aconselha: RB 3,10; UV 2
– não manter conselhos: RB 11,2
Contrição
– Ad 23,3; RnB 20,5; cf. **Confissão**
Coração
– coração puro: Ad 16,1-2; 2Fi 14.19; Ord 42; 1Fr 15.17; RB 10,9; RnB 22,26.29
– de todo o coração: 1Fi I,1; 2Fi 18; PN 5; RnB 23,8
– dureza de coração: Ad 1,14
– guardar (ter) no coração: Ad 21,2; 28,3; Ord 7.20.22; RnB 22,11
– onde nascem os vícios e os pecados: 1Fi II,12; 2Fi 37.69; 1Fr 5; RnB 12,5; 22,7-8
Cordeiro
– de Deus: Ord 19; ExLD 15; LH 3
– entre lobos: RnB 16,1
Corpo
– criado por Deus à imagem do Filho: Ad 5,1; Ad 5,1; RnB 23,1.8
– destinado aos vermes: 1Fi II,18; 2Fi 85;
– castigá-lo (odiá-lo) com os vícios e pecados: Ad 10,2; 14,2; 1Fi I,2; II,11; 2Fi 37.40.69; 1Fr 3; RnB 22,5; SV 15;
– sacrificar (submeter, entregar) o corpo: Ad 3,3; 2Fi 40; 1Fr 39; 2Fr 26; RnB 16,10;
– trazer Cristo em nosso corpo: 1Fi I,10; 2Fi 53;
– manter o corpo casto: 2Fi 14;

Corpo de Cristo
– ver corporalmente o Cristo: Ad 1,1ss.; 1Cl 3; 2Cl 3; Test 9
– santificou Maria, o sepulcro: Ord 21
– nossa salvação: 1Cl 3; 2Cl 3; 2Fi 6.11
– ministrado pelos sacerdotes: Ad 26,3; 1Cl 4; 1Cl 5; 2Fi 33; Test 10; cf. **Comunhão, Eucaristia**
– consagrado pelas palavras: 1Cl 2; 2Cl 2
– devemos honrá-lo: 1Cl 1.11; 2Cl 1.11; 1Ct 2.4; Ord 12.14; RnB 20,5
– castigo para os que o profanam: Ad 1,13; 2Fi 24; Ord 19-20
Correção
– pelos ministros: RB 10,1; Mn 1ss.
– com misericórdia: Mn 9-11.15.17
– pelo cardeal protetor: RB 12,3; Test 33
– humildade na correção: Ad 23,2-3; RB 10,10
– Deus corrige os que ama: 3Fr 4; RnB 10,3
Criador
– Deus Criador: PN 1; 1Fr 59; RnB 23,1-4
– cria por amor: RnB 23,1
– cria por sua palavra: 1Cl 3; 2Cl 3
– reconhecer a grandeza do Criador: Ord 34
– amar e dar-lhe graças: 1Fr 71; 2Fr 21; 3Fr 4; RnB 10,3; 21,2; 23,9.11
– crer em Deus Criador: 2Fr 25; RnB 16,7
– as criaturas reconhecem o Criador: Ad 5,2
– louvores ao Criador: 2Fi 61

Criaturas

– excelência do ser humano: Ad 5,1

– por todas elas louvar ao Senhor: Cnt 1ss.

– convite às criaturas ao louvor: LH 5-8; cf. **Criador**, louvores ao Criador; as criaturas reconhecem o Criador

Cristão

– confessar-se cristão: 1Fr 37; 2Fr 25; RnB 16,6

– finalidade da pregação aos infiéis: que se tornem cristãos: 2Fr 25; RnB 16,7

Cruz

– crucifixão, obra de homens e demônios: Ad 5,3

– sacrifício salvífico voluntário: 2Fi 11; RnB 23,3; Test 5

– gloriar-se na cruz: Ad 5,8

– oração diante da cruz: OC 1ss.; Test 5

– carregar a cruz: Ad 5,8; 6,1; OP 7,8; 15,13; RnB 1,3

Cuidado

– guardar dos cuidados do mundo: 1Fi II,5; 2Fi 65; Gv 3.6; 1Fr 11.14; RB 10,7; RnB 22,20.26; SV 11

– cuidado dos irmãos: 1Ct 9; FV 2; 2Fr 4.15; RB 4,2; RnB 4,6; 5,3; 7,15;

– cuidado com os escritos: 1Cl 15; 2Cl 15; 1Ct 9; 2Ct 7; 1Fi II, 20-21; 2Fi 88; Mn 21; Gv 9; Ord 47; RnB 24,3

Culpa

– por nossa culpa somos pecadores e maus: RnB 22,6; 23, 2.8; 2Fi 46; 1Fr 4;

– confessar a culpa: Ord 39ss.
Cúria Romana
– recusar privilégios: Test 25
Custódio
– elegem o ministro geral: RB 8,2
– cargo intermediário entre o guardião e o ministro: RB 8,4; Test 31; Ord 2.47
– tarefa de visitar os irmãos: RE 9-10
– tratar os irmãos com misericórdia: Mn 17
– responsáveis pela conservação dos escritos: 1Ct 9; 2Ct 6; Ord 47; Test 35
Defuntos
– rezar pelos defuntos: RnB 3,6; RB 3,4
Demônio
– ciência do demônio: Ad 5, 6-7
– inimigo de Deus: 1Fi II,11; 2Fi 20; LM 4,2,3
– inimigo do homem: 1Fi II,11; 2Fi 20; LM 3,6,1
Desejo
– desejar o espírito do Senhor: Ad 16,2; 1Fr 53; RB 10,8; RnB 17,15-16
– desejo (de Deus) do céu: 2Fi 2; PN 5; RnB 23,8.9; RE 3;
– maus desejos (ou desejos da carne): Ad 7,2.3; 1Fi II,3.4; 2Fi 47.64.65; 1Fr 49; RnB 17,12
Desobediência
– quando é permitido desobedecer: Ad 3,7; 2Fi 41; RnB 4,3; 5,2

Desprezo

– não desprezar os outros: Ad 26,2; RB 2,17; RnB 9,15

– desprezar-se a si mesmo: Ad 12,3; 19,1; 2Fi 46; 1Fr 51; RB 10,17; RnB 17,14

– desprezo dos bens terrenos (dinheiro): Ad 16,2

Deus

– atributos de Deus: RnB 23,9-11; LD 1ss.

– Deus é espírito: Ad 1,5ss.

– Pai: Ad 1,1ss.; LD 2; 1Fi I,7.9.11.14.19; II,8; 2Fi 3.4.8.9.10.11.19.21.49.52.54.56ss. 67; Ord 33.46; PN 1; FV 1; 1Fr 17.27.28; OP 1,5.9; 2,11; 3,3; 4,9; 5,9.15; 6,11.12; 7,3.10; 14,1; 15,3.4; RnB 16,8.9; 22,30.34.41ss.; 23,1.4

– Sumo Bem: LD 3; PN 2; LH 11; 23,9

– só Ele é bom: 1Fr 55; RnB 17,18; 23,9

– Trindade: Ad 1,7; LD 3; 2Fi 3.49-53.86.88; Ord 1.33.38.52; ExL 16; 1Fr 16.38.53.59; 2Fr 25; LH 4.9; OP: Antif; RnB: Prólogo 1; RnB 16,7; 17,16; 21,2; 22,27; 23,11; 24,5; SM 2; Test 40

– Amor: cf. **Caridade**

– Altíssimo: Ad 1,9; 7,4; 8,3; 28,2; Cnt 1.2.4.11; LD 2; 1Cl 3; 2Cl 3; 2Fi 4.62; Ord 4.14.15.52; FV 1; 1Fr 54; LH 11; OP: Antif.; RnB 17,17.18; 23,1.11; Test 10.14.40; UV 1

– Onipotente: Cnt 1; LD 2.6; 1Ct 8; 2Fi 62; Ord 9.13.48.50.52; Gv 7; 1Fr 16.38.5976; 2Fr 19.25; LH 11; RnB 9,4; 16,7; 21,2; 22,27; 23,1; 24,2.4

– opera o bem em nós e por nós: Ad 8,3; 12,2; 17,1; 28,1; 1Fr 44; RnB 17,6

Devoção

– pela cruz: Test 5; cf. **Cruz**

– no trabalho: RB 5,1-2

Dinheiro

– é como o pó (ou pedra): 2Fr 16; 3Fr 3; RnB 8,3

– não receber nem levar nem tocar em dinheiro: 1Fr 33; RB 4,1.4; 5,3; RnB 2,6.7; 7,7; 8,3.7-8; 14,1

– não ser tesoureiro: RnB 7,1

– precaver-se contra o dinheiro: 2Fr 17; RnB 8,11

Discernimento (Discrição)

– contrário à superfluidade: Ad 27,3

– discernir o Corpo de Cristo: 2Fi 24; Ord 19

– ao tratar o Corpo de Cristo: 1Cl 5; 2Cl 5; 1Ct 4

– qualidade do ministro: RnB 16,4; 17,2

Disputas

– nem entre os irmãos nem com outros: RB 3,10; RnB 11,1.3; 16,6; 1Fr 37.69; 2Fr 24.25

Doença

– paciência na doença: 1Fr 72; 2Fr 22; 3Fr 4; RnB 10,4

– cf. **Enfermidade**

Doentes

– serviço aos doentes: RB 4,2; 6,9; RnB 8,3; 9,2; 10,1-2; cf. **Leprosos**

Dominação

– não deve haver entre os irmãos: 2Fi 47; 2Fr 6.10; RnB 5,9-12; 7,1-2

Encarnação

– verdadeira humanidade: Ad 1,8.19-20; 2Fi 4; RnB 23,3; OP 15, 7

Enfermidade

– suportá-la e dar graças ao Criador: Cnt 10; 1Fr 71; 2Fr 21; 3Fr 4; RnB 10,3; OP 5; cf. **Doença**

– enfermidade e manifesta necessidade: RB 3,12; RnB 8,3.7.10; 10,2; 15,2

Escândalo

– evitar: 2Fr 10; RB 11,3; RnB 7,1

– não escandalizar-se: Ad 14,3; RnB 22,15

Esmola

– à imitação de Cristo: 1Fr 77; 2Fr 19; RnB 9,5

– em caso de necessidade: 1Fr 75; 2Fr 17.18.19; RnB 7,7; 9,3; Test 22

– nunca em dinheiro: 2Fr 17; RnB 8,8

– direito e herança dos pobres: 1Fr 80; 2Fr 19; RnB 9,8

– não envergonhar-se: 1Fr 76; 2Fr 19; RnB 9,4

– os primeiros irmãos pedem esmolas: 1Fr 75; 2Fr 17.18; RB 6,2; Test 22; RnB 7,8; 8,10; RnB 9,3

Esperança

– Deus é nossa esperança: LD 4.6; OP 2,4; 12,4

Espírito

– espírito do Senhor: Ad 1,12; 12,1; 1Fi I,6; 2Fi 48; 1Fr 51; RB 10,8; RnB 17,14

– espírito de oração: Ant 2; RB 5,2

– espírito e vida: 1Fi II,21; 2Fi 3.25; RnB 22,39; Test 13

– espírito e carne (letra): Ad 1,6; 7,1; 1Fr 48; RnB 17,11

– espíritos celestes; cf. **Anjos**
– espíritos impuros: 1Fr 12.44; RnB 17,6; 22,21.24
Espírito Santo
– dá graças ao Pai: RnB 23,5
– Paráclito: Ord 33; RnB 23,5.6; SM 2; Test 40
– esposo: 1Fi I,8; 2Fi 51; FV 1; OP: Antif
Espiritual
– irmão (homem) espiritual: RB 6,8; LM 5,3,3
– viver espiritualmente: 1Fr 36.69; 2Fr 5.8.15.25; RB 10,4; RnB 2,4.11; 4,2; 5,4.5.8; 7,15; 16,5;
– sabedoria espiritual: 1Fi II,7; 2Fi 67;
Esposa
– Maria: OP: Antif
– Damas Pobres: FV 2
– a alma fiel: 1Fi I,7-8.12; 2Fi 50-51.55
Estrangeiro; cf. Peregrino
Estudo
– submetido ao espírito de oração: RB 10,8-9; Ant 2 cf. **Ciência**, **Sagrada Escritura**
Eucaristia
– verdadeiro Corpo do Senhor: Adm 1,9-10.21; Ord 14; cf. **Corpo de Cristo**
– encarnação cotidiana: Adm 1,16-19; Ord 26-27
– realiza-se pela palavra do Senhor: Ad 1,9; 1Cl 2; 2Cl 2; 2Fi 6-7
– digna de máxima veneração: 1Cl 11; 2Cl 11; 2Fi 24; Ord 21-24; RnB 20,5; cf. **Comunhão**

Evangelho
– viver segundo a forma do santo Evangelho: FV 1; 1Fr 27; RB 1,1; 12,4; RnB Pr. 1; 5,17; 22,41; Test 14; BnB 2
Examinar
– os candidatos: RB 2,2
– os pregadores: RB 9,2
– a linguagem da pregação: RB 9,3
Exemplo
– seguir o exemplo de Jesus Cristo: 2Fi 13
– dar o bom exemplo: Ad 7,4; 1Fi I,10; 2Fi 53; Test 21
– mau exemplo traz a morte: Ad 3,11; 2Fr 4.5; 3Fr 1; RnB 4,6
Exortação; cf. Admoestação
Expressões mais frequentes:
– pelo amor de Deus (Jesus Cristo): Ad 9,3; 15,2; 2Fr 26; RB 10,2; RE 5
– admoesto (aconselho) e exorto: Ord 30.35; RB 2,17; 3,10; 9,3; 10,7
– com a bênção de Deus: 1Ct 9; Le 3; 1Fr 58; RB 2,16; RnB 2,14; 8,9; 21,1; RE 9; Test 26
– na caridade que é Deus: 1Fi I,19; 2Fi 87; 1Fr 15.43; RnB 17,5; 22,26;
– na caridade com que posso (quanto posso): 2Ct 4; Mn 2; Ord 12.40; Gv 3; Test 41; BnB 4
– até ao fim: 1Cl 13; Ct 9; 1Fi I,21; 2Fi 48.88; 1Fr 66; RB 2,3; 10,12; RnB 16,21; 21,9; Test 39; UV 1

– eu, Francisco, pequenino: 1Ct 1; Ord 3; Gv 1; Test 34.41; UV 1;
– meus irmãos benditos: Ord 38; RnB 4,3; 20,1; Test 34
– segundo Deus: RB 2,10; 7,2; RnB 5,6; Ord 48
– desejando beijar os pés: 2Fi 87; Ord 12; RnB 24,3
– como desejariam em caso semelhante: Ad 18,1; 2Fi 28. 43; Mn 17; RB 6,9; RnB 6,2; 10,1

Fé
– Deus é nossa fé: LD 6
– na Igreja e nos clérigos: Ad 26,1; Test 4.6
– catolicidade da fé: RB 2,2; 12,4; RnB 19,2
– pedir fé e perseverar na fé: OC; RB 12,4; RnB 23,7
– finalidade da pregação aos infiéis: 1Fr 38; 2Fr 25; RnB 16, 7
Filho de Deus
– Jesus Cristo é o Filho de Deus: Ad 1,7.8.15; 5,1; 1Fi II,8; 2Fi 11.67; Ord 4.6.18.26.27.51; PN 6.7; 1Fr 76; 2Fr 19; OP 7,3; 9,2; 11,6; 15,3; RnB 9,4; 22,41; 23,1.2.4.5.6; Test 9.10.40
– somos também filhos de Deus: Ad 13,1; 15,1; 1Fi I,7; 2Fi 49; Ord 11; ExL 7

Forasteiro; cf. Peregrino

Fraternidade
– a Ordem é uma fraternidade: Ord 2; RB 8,1-2; 12,3; RnB 5,4; 18,2; 19,2; Test 27.33
– fundamento: Ord 2; 2Fi 52-56; 1Fr 20; RnB 6,3; RnB 22,33-34; Test 14

– características da fraternidade: 1Fr 69-70; 2Fr 15; 3Fr 2; RB 6,7-9; RnB 7,15-16; 9,10-11; 11,1ss.
– atividades: Ord 8; RB 3,1-4; 5,1; RnB 3,3-11; 7,3.8.10.12; RE 3-6; Test 18.20-21.29

Graça
– é Deus quem concede a graça: Ad 28,2; Ord 43.52; RB 5,1; RnB 9,11.16; 11,2
– graça de trabalhar: RB 5,1
– tudo é graça: Mn 3
– em Maria está a plenitude da graça: ExL 4; SM 3
– render graças: Cnt 17; 1Ct 8; Gv 7; 1Fr 55.59.71.78; 2Fr 19.21; 3Fr 4; LH 11; RnB 9,6; 10,3; 17,17.18; 21,2; 23,1.2.4.5.6.11; cf. **Ação de graças**

Guardião
– Mn 14; Test 27-28
– Francisco queria ter um guardião: Test 27

Habitação; cf. Casa

Hábito
– do frade menor: RB 2,10; RnB 2,8
– depor o hábito: RnB 13,1

Homem (ser humano)
– Cristo, verdadeiro homem: Ad 1,19-20; 2Fi 4-5; OP 15,3; RnB 23,3
– grandeza do homem: Ad 5,1
– miséria do homem: Ad 1,14; 17,2; 1Fi II,1-13; 2Fi 63-69; 1Cl 7; 2Cl 7; Ord 19; RnB 22,6-8; 23,2.5.8

Hospedar-se; cf. Casa

Hospitalidade; cf. Casa

Humildade

– humildade de Jesus Cristo e de Deus: Ad 1,16-18; LD 4; Ord 27-28; 1Fr 43; 1Fr 52; RnB 17,15

– seguir o Cristo humilde: 1Fr 73; RB 5,4; 6,2; 12,4; RnB 9,1; 11,3

– humildade de Francisco: 2Fi 87

– sejam humildes: Ad 17,1; 19,1ss.; 22,2-3; 23,1ss.; 1Ct 2; 2Fi 30.45; RB 3,11; 10,1.9; RnB 5,5; 17,5; 20,2.5

– humildade e pobreza: RnB 9,1

Idiota

– Francisco, simples e idiota (iletrado, ignorante): Ord 39; Test 19; PA 11

cf. **Simplicidade**

Idôneo

– para as missões: RnB 16,4; RB 12,2

– para o trabalho: RnB 7,3; Test 21

– para o reino: RnB 2,10; RB 2,13

Igreja

– fé na Igreja e respeito pelas suas instituições: Ad 26,1; Mn 19; Ord 30; RB 1,2; 2,2; 3,1; 9,1; 12,3-4; RnB 2,12; 17,1; 23,7; Test 6ss.

– obedecer e ser submisso e fiel a ela: TestS 5

– igrejas: Test 4.18; 2Fi 33

Inferno

– destino de quem não vive em penitência ou vive carnalmente: 1Fi II,18; 2Fi 85; Gv 5; 1Fr 3; RnB 22,5

Inspiração
– por inspiração divina: FV 1; 1Fr 58; RB 2,7; 12,1; RnB 2,1;
– julgar e agir "segundo Deus" ou segundo o espírito: Ad 1,9; Ord 48; RB 2,10; 7,2; 5,6;

Inveja
– pecado de blasfêmia: Ad 8,3;
– mal a ser evitado: RB 10,7

Ira
– não irar-se ou perturbar-se: Ad 11,2-3; 27,2; 2Fr 5; RB 7,3; RnB 10,4; 11,4

Jejum
– à imitação de Cristo: RnB 3,11
– devemos jejuar: 2Fi 32; RB 3,5-9; RnB 3,1.11-13
– Francisco modera o jejum de Clara: ClJ

Jesus Cristo
– verdadeiro Deus: Ad 1,8; 1Ct 7; 1Fi I, 15; 2Fi 58; RnB 23,3
– verdadeiro homem: Ad 1,19; 2Fi 4; OP 15,3; RnB 23,3
– verdadeira sabedoria do Pai: 1Fi II,8; 2Fi 67
– verdadeira luz: 1Fi II,7; 2Fi 66
– servo: Ad 4,1; RnB 4,6
– pastor: Ad 6,1; 1Fr 19; RnB 22,32
– altíssimo e glorioso: Ad 1,9; 1Cl 3; 2Cl 3; 2Fi 4.11; Ord 16; Test 10; UV 1
– hóspede, peregrino, viveu de esmolas: 1Fr 77; 2Fr 19; RnB 9,1.5.8
– enviado pelo Pai: 2Fi 4

Leprosos

– serviço e cuidado dos leprosos: 1Fr 74; 2Fr 17; RnB 8,11; 9,2; Test 1-2

Liberdade; para São Francisco o conceito de liberdade está profunda e intimamente ligado ao de **Inspiração**

Mãe

– Maria: 2Fi 4-5; 1Fr 77; OP: Antif.; 23,6; SM 1.5; UV 1

– a Igreja: 2Cl 13; TestS 4

– agir como uma mãe: Le 2; RB 6,8; RnB 9,11; RE 1.2.4.8.9.10

– a alma fiel: 1Fi I,7.10; 2Fi 50.53

Maldição

– maldição para quem rejeita os mandamentos: 1Fi II,9; 2Fi 17; Ord 19-20; Gv 3

– maldição para os que vivem fora da obediência: RnB 5,16; Ord 44-45

– maldição para quem confia no homem ou nas riquezas: 2Fi 75-76.84

– para os que não fazem penitência: RnB 23,4

Mandamentos

– dever de observá-los: Ord 7; Gv 3; OP 7,8; 15,13; OC; RnB 5,17; 11,5

– a transgressão exige castigo e maldição: Ad 2,4-5; 1Fi II,9; 2Fi 16-17; Gv 3; RnB 5,16

Maria

– e a Trindade: SM 2; OP: Antif

– e a encarnação: 2Fi 4; Ord 21; RnB 23,3
– escolheu a pobreza: 2Fi 5; RnB 9,5
Mendigar; cf. Esmola
Menores
– sejam menores: Ad 12,3; 2Fi 42; 2Fr 10; RB 3,10-12; RnB 5,12; 6,3; 7,2
– Ordem dos Frades Menores: RB 1,1; RnB 1,1; 1Ct 1; 2Ct 1; Ord 2
– escolha do nome: RnB 6,3
– Francisco mostra-se menor: 2Ct 1; 2Fi 87; cf. **Expressões**: Eu, Francisco, pequenino
Ministro
– é servo e deve agir como servo: RB 8,1; 9,1; 10,1.5-6; RnB 4,1.6; 5,3.4.6.7.12-13; 16,3; 18,2
– geral: Ord 2.38.40.47; RB 8,1ss.; RnB 9,2; Test 27.35; BnB 4
– provincial: Ord 2; 1Fr 15; 2Fr 1.4.5; 3Fr 1; RB 2,1-2.7.8.9; 4,2; 7,1-2; 8,2; 8,2.4; 10,1ss.; 12,1-2.3; RnB 4,1; 5,2.3.7; 18,2; 22,26; Test 33.35; BnB 5
– tarefas do ministro provincial: 2Fr 4; Mn 5; RB 2,1-2.8-9; 4,2; 8,2-4.5; 10,1.4-6; 12,2; RnB 2,2-3.5-8; 4,1.6; 5,1-2.7-8; 6,1-2; 17,1-2; 18,1-2; Test 33.35
Minoridade; cf. Menores
Misericórdia
– de Deus: LD 6; BnL 1; Ord 50; PN 7; OP 3,5.11; 9,4; 11,9; 12,7.10; 13,5; 15,5; RnB 23,8
– dos irmãos: 2Fi 43; Mn 9-11.15.17; RB 7,2
– dos juízes: 2Fi 28

– "fazer misericórdia": 2Fi 29.43; Test 2
Mortificação
– para dominar o inimigo: Ad 10,3; 14,2; 1Fr 51; RnB 17,14; SV 15
Mulher
– evitar relacionamentos: 1Fr 32; RB 11,1-3; RnB 12,1ss.
Mundo
– abandonar o mundo: 2Fi 36; 1Fr 6.47; RnB 17,10; 22,9; Test 3
– é inimigo: 1Fi II, 4.11; 2Fi 65.69
Música; cf. Canto
Natal
– quaresma em preparação para o Natal: RB 3,5; RnB 3,11
Necessidade
– prover as necessidades dos irmãos: RB 4,2; RnB 8,3.7
– manifestar as necessidades aos irmãos: 2Fr 20; RB 6,8; RnB 9,10
– manifesta necessidade abre exceção, pois desconhece lei: RB 2,15; 3,9.12; RnB 2,7; 8,3.7; 9,13.16; 10,2; 15,2
Negligência
– rezar pelas negligências dos irmãos: RB 3,5; RnB 3,10
– que os irmãos não se percam por negligência dos ministros: 3Fr 1

Obediência
– obediência de Cristo: 2Fi 10-11; Ord 46; 2Fr 7; RnB 5,15
– seguimento de Jesus: Ad 3,9; 2Fi 39; Mn 3; Ord 5-8
– obediência total: Ad 3,1ss.
– seguimento do Evangelho: RB 1,1; RnB 1,1
– ser recebido à obediência: RB 2,11; RnB 2,9; RnB 12,4; SV 3.14; Test 28
– não vagar fora da obediência: RnB 2,10; RnB 5,16
– dever de todos os irmãos: 2Fi 40; Mn 16; RB 1,1.3; 8,1-3; RnB: Prólogo 4; 1,1; 4,3; 24,4; RE 8; Test 25.30.31.38
– é dever também dos ministros e custódios: 1Ct 10; Mn 4; RB 1,1; 10,3; RnB 1,1; Test 32-33.35.38
– obediência aos superiores: RnB: Prólogo 4; 4,3; 16,3; RB 1,3; 10,2-3; 12,1; Test 30
– quando é permitido desobedecer: Ad 3,7; 2Fi 41; RnB 4,3; 5,2
– as criaturas obedecem ao Criador: Ad 5,2
– obediência com caridade: Ad 3,6; 2Fr 7; RnB 5,14
– obediência de Francisco aos homens: Test 27-28
– obediência é santa: 1Ct 10; 2Fi 40; Ord 10; RnB 5,15
Ociosidade
– inimiga da alma: RnB 7,11; RB 5,2

Ofício; cf. Cargo
Ofício divino
– todos os irmãos rezem: RB 3,1ss.; RnB 3,1ss.; RE 3-6; Test 18.29-31; Ord 39.41.43
– compôs o Ofício da Paixão
Oração
– não extinguir o espírito de oração: Ant 2; RB,2
– rezar sempre; 1Fr 17; RB 10,9; RnB 22,29
– Cristo orou por nós: 2Fi 56-60; RnB 22,41-55
– litúrgica; cf. **Ofício divino**
Ordem (Religião)
– Ord 2.38.47; 1Fr 57; 2Fr 28; RB 2,12; 7,2; 8,1; RnB Pr. 3; 2,10; 13,1; 19,3; 20,1; TestS 1
Orgulho; cf. Soberba
Paixão
– paixão salvífica: 2Fi 6.11-12; PN 7; RnB 23,3; Test 5
Palavra
– Jesus Cristo é a Palavra do Pai: 2Fi 3-4
– a palavra de Deus é espírito e vida: 1Fi II,21; 2Fi 3; 1Fr 26; RnB 22,39; Test 13
– alegria para o servo de Deus: Ad 20,1
– palavra sem ação é própria do homem carnal: Ad 7,2-3; 21,2; RnB 17,11-12; cf. **Pregação**
Parábola
– da perfeita alegria: PA
Paz
– saudação ou desejo de paz: BnL 2; RB 3,13; RnB 14,2; Test 23

– desejo de Francisco no início das cartas: 2Ct 1; 2Fi 1; Le 1; Gv 1
– ser pacífico ou portador da paz: Ad 13,1; 15,1-2; Cnt 11; 1Fr 52; RB 3,11; RnB 17,15; OP 5
Pecado
– é próprio do ser humano: 1Fr 45; RnB 17,7; 23,5
– vencido pelas virtudes: SV 8ss.
– corpo e coração, de onde brota o pecado: Ad 10,2; 1Fi I,2; 1Fi II, 3.37.69; RnB 22,5
– remissão dos pecados: 2Fi 7.12
– confessar os pecados: 2Fi 22; Ord 38; 1Fr 63; RnB 20,1.3; 21,6
– não perturbar-se ou irar-se diante do pecado: Ad 11,1; 2Fi 44; Mn 9.11.15; 2Fr 5; RB 7,3; RnB 5,7
– não julgar os pecadores e outras atitudes com eles: Ad 26,2; 2Fi 33; RnB 11,11; Test 9
– pecado contra Cristo: 1Cl 1; 2Cl 1
– pecado mortal: Cnt 13; 1Fi II,15; 2Fi 82; Mn 13.14; RB 7,1
Penitência
– fazer penitência: 1Fi I,4; 2Fi 24; 1Fr 60; RnB 12, 4; 13,2; 20,2; 21,3; 23,7; Test 1.26
– condição para o reino: 1Ct 6; 1Fr 64; RnB 21,7; 23,4
– sacramento da penitência; cf. **Confissão**
Perdão
– o perdão de Deus: PN 7; RnB 23,9
– devemos perdoar: Cnt 10; PN 8; 1Fr 62; RnB 21,5

Peregrino

– viver como peregrino e forasteiro: 2Fr 17; RB 3,10-14; 6,2; 12,1; RnB 14,1ss.; 16,3; Test 24

– Cristo peregrino: 1Fr 77; 2Fr 19; OP 15,7; RnB 9,5

Perseguição

– amar quem nos persegue: Ad 3,8-9; 9,1-2; RB 10,10-11; Test 6

– suportá-la a exemplo de Cristo (ou dos santos): Ad 6,2; RnB 16,12-15

– suportá-la por Cristo: 1Fr 40; 2Fr 26; RB 10,9; Test 25

Perturbação; cf. Ira

Pobres

– distribuir-lhes os bens: RB 2,5.8; RnB 1,2; 2,4; Test 16; BnB 2

– buscar conviver com eles: 1Fr 74; RnB 9,2

– pedir esmolas como eles: RnB 7,8

Pobreza

– opção de Cristo: 2Fi 5; 1Fr 77; 2Fr 19; RB 6,3; RnB 9,5

– seguimento de Cristo: Le 3; 1Fr 73; RB 5,4; RB 6,2; 12,4; RnB 9,1; UV 1-3

– constitui herdeiros do reino: RB 6,4-5

– modo de viver o Evangelho: RB 1,1; RnB 1,1

– senhora Pobreza: SV 2.11; TestS 4

Pregação

– temas centrais: 1Ct 8-9; Ord 8; RB 9,4; RnB 16, 6-7; 21,2ss.

– conteúdos da pregação: 1Ct 6.8
– pregar com as obras: 1Fr 41; 2Fr 27; RnB 17,3
– condições: RB 9,1-2; RnB 17,1.6-7; Test 7.25
– ofício da pregação: 1Ct 9; 1Fr 43; RB 9,1ss.; RnB 17,1ss.
– não se apropriar do ofício: 1Fr 42; RnB 17,4

Preguiçoso; cf. Ociosidade

Prelado
– ser-lhe submisso: Ad 3,3ss.; TestS 5
– não deve gloriar-se: Ad 4,2-3

Prisioneiro
– manter prisioneiro o irmão não católico: Test 32-33
– obedecer como prisioneiro: Test 28
– prisioneiro do demônio: 1Fi II,6

Privilégio
– proibido sob qualquer pretexto: Test 25

Pureza
– coração puro: Ad 16,1-2; 2Fi 14.19; Ord 42; 1Fr 15.17; RB 10,9; RnB 22,26.29

Regra
– escrita com simplicidade: Test 15.39
– vivê-la é seguimento de Cristo: RB 1,1; RnB 1,1
– observar com fidelidade: Ord 40.43; RB 2,11; 12,4; RnB 24,1ss.; Test 29-30.36-39
– nada modificar nela: RnB 24,4; Test 31

Reino
– herdeiros do reino: Ad 14,1; 2Fi 23.64; 2Fr 25; RB,2,13; 6,4; 10,11; RnB 2,10.15; 8,5; 16,7.12; 21,7; 23,4
– objeto do desejo: PN 4; RE 3

Renúncia

– ao mundo (aos bens): Ad 3,1; 1Fr 6; 2Fi 36; RnB 2,11; Ad 3,3; 1Fr 81; 2Fr 19; RnB 8,5; 9,9; 22,9; Test 3

– a si próprio, à própria vontade: 2Fi 40; RB 10,2

Rigor; cf. Austeridade

Riqueza

– Deus é a nossa riqueza: LD 4

– Cristo, rico acima de todas as coisas: 2Fi 5

– inimiga da alma: Ad 7,2; RnB 22,16

– riqueza da graça: RB 6,4

Sabedoria

– Deus é sabedoria: LD 4

– Cristo é a sabedoria do Pai: 1Fi II,8; 2Fi 67; 1Fr 53; RnB 17,16

– sabedoria do mundo: 1Fi II, 16; 1Fr 47; RnB 17,10; SV 9

– sabedoria e simplicidade: SV 1

Sacerdote

– ministério: Ad 26,3; 1Cl 4; 2Cl 4; 2Fi 33-35; Ord 24; 1Fr 57; 2Fr 28; RnB 19,3; Test 10

– sejam santos: Ord 14.17-20.23-24

– devem ser venerados: Ad 26, 2; 2Fi 33; 1Fr 57; 2Fr 28; RnB 19,3; Test 8; TestS 5

Sacramentos

– vida sacramental: 2Fi 2-25; cf. **Batismo, Confissão, Eucaristia**

– exame dos candidatos: RB 2,2

Sagrada Escritura

– modo de estudá-la: Adm 7,2-4; cf. **Ciência**

Salário

– um direito pelo trabalho: RB 5,3; RnB 7,6

– sendo negado o direito, recorrer à esmola: RnB 7,7; Test 22; cf. **Esmola**

– não recebê-lo em dinheiro: RB 5,3-4; RnB 8,3

– em produtos: RnB 7,6

– evitar a cobiça do salário: Test 21

Salvação

– Deus é a salvação: LD 6; PN 1; 2Fr 25; OP 1,10; 2,1.12; 4,10; 5,16; 9,3; 11,5; 12,2.3; 13,6; 14,2.3.7; RnB 16,7; RnB 23,8.9.11

– por Jesus Cristo: Ad 6,1; 1Ct 6; 2Fi 14-15.34; Ord 27; OP 7,3

– Regra, meio de salvação para o frade menor: RnB 24,1-2

Seguimento (imitação)

– seguir as pegadas de Jesus Cristo: Ad 6,2; Le 3; Ord 51; 1Fr 1.6.73; OP 7,8; 15,13; RnB 1,1-2; 9,1; 22,2.9

– seguir o espírito: Ad 7,3

– seguir a pobreza: RB 5,4; RnB 9,1; UV 1

Silêncio

– a ser mantido nos eremitérios: RE 3-4

– em vez de porfiar com palavras: RnB 11,1-2

Simplicidade

– simplicidade e outras virtudes: 2Fi 45; Ord 2, 1Fr 52; RnB 17,15; SV 1

Soberba

– ninguém se ensoberbeça: Ad 2,3; 4,2; 5,4.7-8; 12,2; 17,1; 1Fr 44.47; RB 10,7; RnB 17,6.9

Submissão

– a Deus: Ord 34; PN 5

– à Igreja: RB 12,4

– aos clérigos: RnB 19,3; Test 7-9; TestS 5

– aos cristãos: 2Fi 1; 2Fr 10; RnB 7,2; Test 19

– aos irmãos: Ad 12,2

– a toda criatura humana: 2Fi 47; 1Fr 37; 2Fr 25; RnB 16,6; SV 16

– aos animais: SV 17

Teologia

– permissão de estudá-la: Ant 2

– respeito pelos teólogos: Test 13

Trabalho

– é graça: RB 5,1

– é dever de todos: RnB 7,4-6; Test 20

– deve ser trabalho honesto: RnB 7,3; 8,9; Test 19-20

– trabalhos proibidos: 2Fr 10; RnB 7,1-2

– sem extinguir o espírito de oração: RB 5,2; Ant 2

– meio de subsistência: RB 5,3; RnB7,4-7

– para expulsar a ociosidade: RB 5,2; RnB 7,10-12; Test 21; cf **Ociosidade**

– exemplo de Francisco: Test 19

– cada um exerça seu ofício: 2Fr 11; RnB 7,3; Test 21

Trindade; cf. Deus

Tristeza

– é proibida: RnB 7,16

Vaidade

– vaidades do mundo: 1Fi II,14; 2Fi 71; RnB 8,6

– evitar a vanglória: 1Fr 47; RB 10,7; RnB 17,9

Verbo

– Jesus Cristo é o Verbo encarnado: 2Fi 3-4; cf. **Palavra**

Vício

– brota do coração: 1Fi II, 12; 2Fi 37.69

– objeto da pregação: RB 9,4

– é próprio do ser humano: 1Fr 45; RnB 17,7

– é vencido pelas virtudes: Ad 27,1ss.; SV 8ss.

– vícios e pecados: Ad 5,3; 1Fi I, 2; II,3; 2Fi 32.37.64; 1Fr 3.45; RnB 22,5

Virtude

– provém do Senhor: SV 4

– virtude de Cristo: Ord 37; PN 7

– virtudes celestes: OP: Antif.; RnB 23,6; Test 40

– é dom do Senhor: RB 6,4; SM 6

– objeto da pregação: RB 9,4

– vence os vícios e pecados: Ad 27,1ss.; SV 8ss.

Vocação

– inspiração divina: FV 1; RB 12,1; RnB 2,1; Test 14-15

– deve ser reconhecida pela autoridade: RB 12,2; RnB 16,3-4

Vontade

– a vontade de Deus criou todos os seres: RnB 23,1

– nossa vontade deve orientar-se a Ele (aceitar a vontade dele): 2Fi 10-12; Mn 4.6; Ord 15; 50; RnB 22,9

– não apropriar-se da vontade: Ad 2,3; 3,10; 20,3; Mn 2; 1Fr 8; PN 6-7; RB 2,6; 10,2; RnB 2,11

Notas

[1]Os colchetes apresentados pela edição crítica indicam que o texto que eles encerram não faz parte do texto original, mas foi incluído ou pelo copista ou pelo editor crítico; o tradutor, ao explicitar um termo subentendido ou oculto, para maior clareza, utiliza o mesmo recurso.

[2]O texto bíblico então conhecido era o da Vulgata. Por isso, muitas vezes a tradução não coincide com as traduções modernas, baseadas nos originais. Em diversos casos há também discrepância na numeração dos versículos e até dos capítulos. Também a numeração dos Salmos é a da Vulgata.

[3]Quando se trata da Encarnação do Verbo, São Francisco usa uma linguagem enfaticamente realista; a Encarnação do Verbo deu-se no *útero* da Virgem Maria; esta linguagem se compreende dentro de um contexto influenciado pela doutrina cátara que negava a Encarnação real do Verbo. Para os cátaros, o útero está vinculado ao pecado; o Filho de Deus não poderia de forma alguma estar ligado ao pecado; por isso, eles afirmavam apenas uma encarnação aparente do Verbo. São Francisco, em contraposição a esta doutrina, afirma da maneira mais realista que, como todo ser humano, o Verbo "recebeu a verdadeira carne da nossa humanidade e fragilidade" no *útero* da Virgem Maria (cf. 2Fi 4; Ord 21).

[4]Na literatura franciscana não se encontra o termo "superior". Usa-se mais comumente o termo "prelado" que etimologicamente significa "o que é posto à frente" dos demais; na sua literalidade, o termo não indica superioridade nem dignidade, mas o serviço de conduzir os demais, à maneira do pastor que conduz as ovelhas.

[5]Salientamos que se trata da *própria alma*, pois o possessivo sua, tanto no latim quanto no português, tem uma função reflexiva. A mesma ideia se encontra em RB 2,17.

[6]Traduzimos o termo *caro* (literalmente: *carne*) pelo pronome substantivado eu, pois, numa compreensão que São Francisco tem do homem, o termo carne, na maioria das vezes, quer indicar não tanto a realidade física, mas uma realidade interna do homem que se opõe a Deus; neste sentido, está próximo ou na linha da *sarx* paulina (cf. Rm 8; Gl 5,13-25).

[7]O título de "bispo", usado na Idade Média para indicar também os pregadores autorizados, certamente deve ser compreendido como participação do *munus praedicandi* dos bispos propriamente ditos.

[8]O *podestà* na Idade Média italiana era o governante de uma comuna; este cargo equivaleria ao de um prefeito de nossos dias e de nosso contexto.

[9]O texto que aqui se encontra no plural (*putabant habere, auferetur ab eis*) deveria estar no singular (*putabant habere auferetur ab eo*); por isso, o tradutor, utilizando o paralelo que se encontra na Segunda recensão, pela clareza e coerência, optou pela forma singular.

[10]Esta carta é um dos poucos textos autógrafos de São Francisco; nela, pode-se ver que ele não dominava perfeitamente a língua latina, pois se encontram vários erros; estes tornam difícil uma tradução rigorosamente literal.

[11]Quanto ao termo *religio* (religião), há autores que defendem que se trata de um sinônimo de *Ordo* (Ordem); nesta linha de interpretação está K. Esser; outros, porém, afirmam que os dois vocábulos não são sinônimos (cf. Boni, A. *As três Ordens franciscanas*. Petrópolis: FFB, 2002, p. 22). Preferimos traduzi-lo literalmente, deixando ao leitor liberdade de interpretação.

[12]Algumas citações dos salmos bíblicos vêm seguidas ou por um **R** ou por um **G**; trata-se de citações de acordo com o Saltério Romano (usado pela Igreja de Roma) ou com o Saltério Galicano (usado mais amplamente em outras dioceses).

[13]A expressão *natus fuit in via* pode, à primeira vista, parecer estranha, mas tem sua força e significado próprios, pois quer mostrar que o Cristo nasceu como peregrino, como itinerante.

[14]A exceção não isenta os irmãos de rezarem o saltério, mas quer significar que o saltério a ser rezado podia ser diferente daquele indicado pelo diretório da santa Igreja Romana. De fato, enquanto na Igreja de Roma os clérigos seguiam o saltério romano, em outras Igrejas particulares se seguia o saltério galicano.

[15]O termo *domesticus* (de *domus* = casa), na constelação familiar da Idade Média, possivelmente influenciada pela concepção bíblica de casa, indicava todo aquele que morava na mesma casa: pai, mãe, filhos, filhas, parentes, servos, servas e outras pessoas que eventualmente morassem aí; essa relação mútua de proximidade era designada pelo termo *domesticus*; por seu caráter de familiaridade, preferimos traduzir por *familiares*.

[16]A expressão *caput istius religionis* reflete o estado do grupo franciscano na sua origem. Faltava-lhe uma nomenclatura própria. O termo caput era um termo genérico para indicar quem *é cabeça, chefe, superior, a pessoa principal de um grupo*. Como o grupo ainda não tinha feito a opção pelo termo ministro, com um sentido muito preciso, a primeira legislação usa *caput*, um tanto indeterminado. Quanto ao termo *religio* (religião), cf. nota 11.

[17]Na legislação canônica da Idade Média, a expressão *sine proprio* tinha conteúdo eminentemente jurídico para indicar a situação daqueles e daquelas que optavam por uma vida sem propriedade.

[18]O termo latino *locus* era usado por Francisco preferentemente para indicar o eremitério que servia de habitação para os irmãos.

[19]A lauda era, no contexto medieval italiano, uma espécie de exortação religiosa em forma de canto.

[20]Embora a expressão "fiz misericórdia" (literalmente em latim: *feci misericordiam*) possa soar um tanto estranha aos ouvidos modernos, o tradutor prefere manter a literalidade (para não perder a força que a expressão contém), pois vê nela uma linguagem bem franciscana; para Francisco, não se trata apenas de "usar de misericórdia" (a tradução mais comum da expressão) ou de ter um sentimento de pena, mas trata-se de ação, de engajamento (*facere*), como se pode verificar em todas as suas biografias. Além disso, a expressão "fiz misericórdia" estaria gramaticalmente correta, pois para outras virtudes cristãs se usam idênticas expressões, tais como "fazer caridade", "fazer justiça".

Conecte-se conosco:

facebook.com/editoravozes

@editoravozes

@editora_vozes

youtube.com/editoravozes

+55 24 2233-9033

www.vozes.com.br

Conheça nossas lojas:

www.livrariavozes.com.br

Belo Horizonte – Brasília – Campinas – Cuiabá – Curitiba
Fortaleza – Juiz de Fora – Petrópolis – Recife – São Paulo

EDITORA VOZES LTDA.
Rua Frei Luís, 100 – Centro – Cep 25689-900 – Petrópolis, RJ
Tel.: (24) 2233-9000 – E-mail: vendas@vozes.com.br